L'INITIÉ
DURANT LE CYCLE OBSCUR

L'INITIÉ

DURANT LE CYCLE OBSCUR

PAR SON ÉLÈVE

SUITE DE « L'INITIÉ »
ET DE « L'INITIÉ DANS LE NOUVEAU-MONDE »

TRADUIT DE L'ANGLAIS PAR G. GODET

AUX ÉDITIONS DE LA BACONNIÈRE
NEUCHATEL

SANS PARTAGER CHACUNE DES IDÉES ÉMISES
AU COURS DES TROIS VOLUMES QUI COMPOSENT
« L'INITIÉ », NOUS AVONS FAIT ŒUVRE DE TRADUC-
TRICE, PARCE QUE NOUS CROYONS A LEUR NOBLESSE
D'INSPIRATION ET SAVONS QUE LA VÉRITÉ — TOUT
EN RESTANT UNE — ATTEINT LES ÂMES PAR DES
CHEMINS TRÈS DIVERS.

G. GODET.

ISBN 2-8252-0994-5

INTRODUCTION

En un temps où se produisent, dans le monde invisible, de prodigieuses transformations cosmiques auxquelles correspondent, sur notre plan terrestre, des bouleversements considérables, les *Maîtres*, m'honorant de leur confiance, m'ont suggéré l'idée d'écrire une seconde suite à L'INITIÉ. Leur but était de répandre un peu plus de sagesse et de clarté dans une Humanité tristement égarée et de guider tout particulièrement les étudiants du Haut-Occultisme, lesquels, en ces derniers temps, se trouvent placés devant des problèmes qu'ils se sentent tout à fait inaptes à résoudre. La nature de ces problèmes et le *modus operandi* dont se servent les Maîtres, pour diffuser leur sagesse, seront expliqués au cours du présent ouvrage. Cette suggestion des Maîtres et le livre par lequel j'y ai donné suite serviront aussi, incidemment, un objectif personnel et beaucoup moins important : celui de m'aider à résoudre un certain nombre de dilemmes devant lesquels m'avait placé la publication des deux volumes précédant celui-ci. En effet, après leur parution, j'ai été littéralement assailli de lettres, de questions et de requêtes auxquelles, pour la plupart, je n'ai pu qu'imparfaitement répondre.

Parmi les auteurs de ces lettres, qui me sont parvenues de tous les coins de l'univers, certains désiraient que je persuadasse mon Gourou de les prendre comme élèves. D'autres me priaient d'obtenir qu'il intervînt dans leurs difficultés et leurs chagrins privés, ou ceux de leurs amis ; d'autres encore sollicitaient de moi une entrevue personnelle, qui servirait de préliminaire à une rencontre avec mon Maître. Quelques-uns — avec un grand luxe de louanges à leur propre adresse — m'énuméraient les qualifications variées et nombreuses qui leur donnaient droit, jugeaient-ils, à devenir des *chélas* (disciples)... Des épouses me demandaient comment agir à l'égard de leur mari volage ; des époux s'enquéraient de la conduite à tenir à l'égard d'une femme infidèle. En résumé : que pensais-je que l'Initié Justin Moreward Haig leur conseillerait dans leur cas particulier ? J'ai même reçu des lettres menaçantes, m'informant que si je ne révélais pas la façon dont l'Initié accomplissait ses prétendus « miracles », je serais fort justement tenu pour un être dénué de tout espèce de sens de la fraternité, puisque jamais aucun vrai Maître de la Compassion ne garde pour lui-même les secrets de la Connaissance au lieu de les partager avec d'autres !

Bien que certains de ces correspondants aient exprimé leur admiration pour mes livres (ce dont je saisis ici l'occasion de les remercier), ils me posent néanmoins des questions auxquelles il a été dûment répondu dans ces livres eux-mêmes, un fait impliquant qu'ils n'ont saisi que partiellement mes explications, ou bien ont fait ce que certaines gens font avec la Bible : ils acceptent tel ou tel enseignement qui répond à leur convenance, et se bornent à ignorer les autres.

Heureusement que les plus déconcertants de ces messages ne représentent, malgré tout, qu'une seule face du tableau. J'ai reçu un grand nombre d'autres lettres dont les auteurs déclarent qu'ils ont été véritablement sauvés du désastre par les ensei-

gnements de l'Initié. D'autres déclarent généreusement que
— mes livres étant venus à leur secours au plus fort des
angoisses de quelque crise matérielle ou émotionnelle — ces
enseignements ont eu pour effet de *transformer* complètement
leur vision de l'existence.

Je ne voudrais, par cette Introduction, nullement décourager
les personnes qui se sentiraient poussées à m'écrire au sujet
de questions non encore traitées dans mes divers ouvrages.
D'autre part, et pour leur propre bien, j'avertis sérieusement
mes lecteurs qu'il est entièrement vain de m'écrire pour me
prier de leur ménager une rencontre avec mon Maître ; car s'ils
ont la patience de lire ce troisième volume, ils verront *comment*
et *pourquoi* leur désir ne saurait être satisfait. Ils voudront
bien se rendre compte — ils ne semblent pas l'avoir déduit
de mon Introduction au volume précédent — qu'il n'est pas
en mon pouvoir de contenter ceux qui s'efforcent de me per-
suader de me départir de ma discrétion et de leur dire *qui* est
l'Initié, et *où* il réside. Comme, toutefois, la rumeur a couru
que J. M. Haig est en réalité un dignitaire de l'église catholique-
libérale, l'évêque Wedgewood, et que j'ai reçu des lettres
s'enquérant de l'exactitude de ce bruit, je désire établir ici,
sans nulle équivoque, que cette rumeur est fausse. Si l'on a
trouvé moyen d'écrire la biographie d'un poète ivre sans
même mentionner un verre d'eau de Seltz (en fait, une biographie de ce genre a paru) il ne serait guère possible, en revanche, d'écrire un livre au sujet d'un évêque sans que l'Eglise y
fût mentionnée une seule fois !

De toutes façons, les Gourous vivant dans le monde occidental — et ceci est un point fort important — ne sauraient
conduire leurs affaires temporelles à la façon des Yogis et des
Sadhous indiens, lesquels sont apparemment toujours prêts à
prononcer de petites homélies devant quiconque veut bien les

entendre : ceux-ci ne craignent nullement de voir paraître livres et brochures traitant de leur personne et proclamant leur sainteté, sans cacher non plus le lieu de leur résidence. Malgré leur détachement du monde, ils paraissent, en fait, n'objecter nullement à devenir des personnages publics. Mais les conditions de vie, en Orient, sont absolument dissemblables de celles d'Occident. Je n'ai jamais entendu parler d'un Gourou ni d'un Maître de l'Occident qui soit en même temps un personnage public. Quant aux Mahatmas résidant inaccessibles dans leurs lointaines forteresses de l'Himalaya, c'est, pour eux, bien autre chose de laisser publier à leur sujet des livres décrivant leur personnalité et leurs conditions de vie, que ce ne le serait, pour des Maîtres européens, d'autoriser des révélations analogues. Nul livre n'a jamais trahi le lieu de résidence des Maîtres anglais, par exemple ; et l'une des raisons en est que cette publicité susciterait de désastreuses intrusions dans leur vie privée — ce qui nuirait gravement à l'important travail qu'en commun avec d'autres Adeptes, ils accomplissent pour le bien de l'Humanité.

Qu'il soit donc, ici, nettement établi que les ouvrages écrits par moi ne le furent jamais dans l'intention de faire de la réclame à mon Gourou en le présentant comme un Maître facilement atteignable *dans la chair* par quiconque pense avoir droit à l'enseignement occultiste, mais bien dans le but beaucoup plus général d'attester l'existence réelle de ces grands Etres : les *Gourous*, les *Adeptes* et les *Maîtres* — qui se dénomment eux-mêmes modestement les « Frères Aînés de l'Humanité. »

Il y a des gens qui n'ont jamais entendu parler des Adeptes et qui, par conséquent, n'y croient pas. Il en est d'autres qui *voudraient* croire en leur existence, mais qui s'en sentent incapables, et enfin, il y a les plus malheureux de tous : ceux qui y ayant une fois *cru*, se sont sentis plus tard assaillis par de graves doutes. Ceux de la première catégorie ne nous retiendront pas ; mais ceux de la seconde et de la troisième sont susceptibles d'être aidés par le témoignage d'un homme qui possède plus qu'une simple croyance : une connaissance bien définie. Car l'expérience d'une personne qui a *vu* peut souvent communiquer la foi aux esprits de ceux qui n'ont pas vu. Or, dans le domaine de l'occultisme, la foi peut mener en fin de compte à la *connaissance*. Croire aux Maîtres de la Sagesse et souscrire à leurs enseignements, c'est déjà établir un lien télépathique entre Eux et nous, ou, comme l'on dirait en un temps de télégraphie sans fil, harmoniser en quelque sorte nos vibrations psychiques avec les leurs.

A travers les périodes successives de l'histoire universelle, les Maîtres sont là, prêts par leurs conseils et leurs enseignements à régler l'équilibre changeant des mœurs, des coutumes et des croyances. Dans ces « impressions », qu'il a bien voulu m'autoriser à publier, je me suis efforcé de montrer la contribution apportée par mon Gourou au trésor de ces enseignements.

Bannissons néanmoins dès le début toute espèce de malentendu. Moi, qui ai choisi de m'appeler Charles Broadbent, je ne suis pas davantage une sommité littéraire qu'une sommité spirituelle, ainsi que des lecteurs critiques et observateurs l'ont sans doute déduit de mes ouvrages précédents. Ma vie n'a nullement été celle d'un saint et mes talents littéraires laissent si fort à désirer, qu'à mon opinion la tâche entière aurait dû être confiée à un biographe ou à un romancier de valeur, et non pas à mon humble personne. Mais, chose étrange à dire, aucun romancier n'a surgi. Quant aux « saints », s'ils sont rarement capables de décrire des états de conscience mystiques, lorsqu'il s'agit de transcrire sur le papier la plus élémentaire des conversations de tous les jours, le résultat en est une pitoyable déformation... Qu'il soit donc bien entendu que je ne suis qu'un instrument dans la main de Ceux qui n'ont pu peut-être trouver mieux dans le moment présent, ou qui, ayant des choses plus essentielles à faire, ne l'ont même pas essayé.

Quoiqu'il en soit, ils attribuent à mes lecteurs assez de bon sens pour comprendre que même si l'appareil transmetteur — représenté ici par ma personne — n'est pas brillamment orné, le message apporté par lui n'est pas nécessairement mensonger, ni dénué de toute valeur. Ainsi mes lecteurs n'ont-ils point à se tracasser sur la question de savoir si je suis, personnellement, une «âme évoluée», si je possède telle ou telle qualification spirituelle, etc... La raison pour laquelle on m'a chargé, moi, d'écrire sur des sujets d'une aussi haute importance ? Eh bien, ma vie est ainsi faite que je me trouve dans la position enviable de pouvoir consacrer la plus grande part de mon temps aux exigences des Adeptes. En vérité, je trouve dans leurs activités — du moins dans celles qu'il m'est permis de suivre — l'intérêt le plus absorbant, le plus passionnant de ma vie présente, et je ne saurais imaginer une fonction plus stimulante et plus inspiratrice que d'être — métaphoriquement parlant — le «messager» des Grands Maîtres.

Ceux qui suivent le Chemin de l'Amour peuvent souffrir, lorsque leurs bien-aimés leur sont enlevés. Ceux qui suivent le Chemin du Pouvoir peuvent souffrir, lorsqu'on s'oppose à leur volonté. Mais ceux qui suivent le Chemin de la Sagesse trouvent la Paix, car la Sagesse ne saurait leur être enlevée. Lorsque cette Sagesse est si profonde, qu'elle plonge dans le subconscient pour remonter dans le conscient, elle immunise l'Homme contre la douleur : car, dans chaque repli de la conscience, sa lumière a banni l'obscurité.

Justin Moreward HAIG.

CHAPITRE I

L'INITIÉE-DÉVA

Peu de temps après la publication de *L'Initié dans le Nouveau-Monde*, je me vis obliger de lancer un S.O.S. à mon Gourou, Justin Moreward Haig — ceci sous la forme d'une lettre qui ne fut certes pas facile à écrire ; car, cela va sans dire, je savais qu'il n'était pas omniscient et n'avait pas le pouvoir de ressusciter les morts, pas plus qu'il n'eût pu, de sa maison de Boston située à des milliers de lieues de distance, rendre l'Invisible perceptible à celui qui avait perdu la vision psychique. Or, ma femme, ayant dû subir plusieurs opérations, avait — en raison de cela, supposions-nous — perdu les dons de *clairvoyance* qui lui rendaient auparavant si facile de communiquer psychiquement avec son Maître. Elle en éprouvait une grande détresse, qui ne s'atténua que lorsque nous fûmes entrés en contact avec *Chris*, une amie qui, grâce à ses dons médiumniques tout à fait transcendants, put illuminer la voie que Viola ne discernait plus par elle-même.

Mais maintenant Chris était morte, et Viola plongée dans une obscurité plus grande encore qu'auparavant, puisqu'au chagrin de cette perte s'ajoutait la détresse d'être dépouillée de la seule faculté susceptible de combler le vide qui s'était creusé entre elle et une amie si chère.

C'est que Chris n'était pas une amie ordinaire : elle possédait des qualités uniques, qui la mettaient à part de l'humanité moyenne. Plus proche de l'autre monde que du nôtre — et pourtant toujours prête, avec son immense don de sympathie, à adoucir les souffrances d'ici-bas, elle était devenue le pivot autour duquel notre vie, durant plusieurs années, se concentra. Sa mort laissa Viola, qui lui était attachée par un lien exceptionnellement fort — et qui a suivi, pour sa part, le chemin de l'*amour* plutôt que celui de la *sagesse* — absolument brisée intérieurement. De tempérament plus émotif que philosophe, ma femme fit d'héroïques efforts pour dompter son chagrin, qui lui semblait incompatible avec son idéal occultiste — mais elle ne réussit qu'à empirer encore les choses.

Aussi, dans l'espoir d'obtenir quelque conseil propre à calmer cette angoisse, je résolus d'adresser un S.O.S. à mon Maître. J'étais alors bien loin de me douter que les conséquences de cette simple démarche me procureraient la matière suffisante à la majeure partie d'un troisième ouvrage, concernant l'Initié.

* * *

Tandis que j'en écris les premières pages, ma pensée retourne à cette petite femme d'âge moyen et d'apparence insignifiante qui, avant de quitter ce monde, joua un rôle si important dans notre vie occulte et transmit aux quelques rares émules qui étaient à même de le recevoir, le riche savoir qu'elle tenait des Maîtres de la Sagesse. Je revois sa chevelure argentée, contrastant avec la jeunesse de la physionomie, nullement jolie par les traits — rendue belle, néanmoins, par son expression de suave spiritualité. Je la revois dans son home accueillant, bien

que passablement désordonné, grâce à l'affluence des épaves
humaines de tous genres qui y avaient échoué, pauvres
rescapés de l'existence, brisés dans leur corps et dans leur
esprit, certains non seulement de leur bienvenue, mais encore,
dans la plupart des cas, d'être soignés et guéris de leurs maladies
respectives. A toutes les heures de la journée, ils réclamaient
« Chris » : jamais elle n'avait un instant pour elle ! Je la vois
encore, perpétuellement pressée et démentant la proverbiale
impossibilité d'« être partout à la fois », souvent épuisée,
presque continuellement tourmentée par des névralgies, mais
immuablement douce et égale d'humeur ; tantôt apaisant, de
sa main au fluide étrangement magnétique, des douleurs de
tête qui n'étaient pas les siennes ; tantôt consolant quelque
« jeunesse » abîmée dans le désespoir d'un roman d'amour
malheureux ; une autre fois debout auprès d'un laborieux
étudiant en philosophie, et résolvant pour lui quelque problème
abstrus de métaphysique ; — puis, l'instant d'après, s'efforçant
de ramener la paix entre deux conjoints formant un couple mal
assorti... Maintenant encore je m'émerveille, en pensant aux
adaptations presque instantanées que Cnris était capable de
réaliser, en présence de *tant* de réclamations diverses et contradictoires !

Etrange demeure, incohérente et mouvementée, que celle-ci,
avec son assemblage hétérogène de malades de l'âme et du
corps ! Christabel Portman et son mari semblaient incapables
de fermer leur porte hospitalière à aucune créature humaine,
de quelque type social ou condition qu'elle fût ; la mesure de
sa détresse était le seul passeport qui lui fût réclamé : fabricants
de savon du Nord ; aristocrates anglais ou étrangers ; petits
instituteurs à bout de forces ; membres du Service Civil Indien ;
Français, Hollandais, Syriens — tous ceux-là et bien d'autres
encore se sont trouvés, une fois ou l'autre, réunis dans la

demeure des *Pins*, cette retraite que les Portman, en accord avec un médecin, avaient ouverte pour le traitement des maux psychologiques les plus énigmatiques et les plus déroutants. Chris, avec son étonnant pouvoir occulte, non seulement diagnostiquait la nature du mal, mais avait encore la divination psychique de la cure à appliquer. Néanmoins, les maladies qu'elle s'entendait le plus merveilleusement à guérir, c'étaient, déclarait Viola, les blessures du cœur...

Un certain nombre de ses hôtes étaient des théosophes recommandés par des membres de la Société Théosophique. D'autres, qui y étaient venus sur l'avis d'un médecin exempt de préjugés, se trouvaient déconcertés, parfois même assez choqués, d'être mêlés à une foule dont la mentalité leur paraissait si singulière.

Il me revient à l'esprit des bribes incohérentes de conversation saisies au vol à la grande table du dîner, lorsqu'une voix ou une autre dominait la clameur générale ou qu'un *pianissimo* soudain en faisait ressortir quelques phrases.

« Vous savez sans doute, Mr. Smith, que votre mal est purement karmique ! » affirmait une vieille fille sans humour.

« Jamais entendu ce mot à Mâ-anchester repartait lourdement Mr. Smith. Saurais pas dire c'qui en est... mais le D^r *'Odges* (Hodges) dit q'c'est la constipâ-ation... »

« Non, non, vous ne saisissez pas — n'est-ce pas Mrs. Portman ? »

« Pardon Madame... — et la voix pointue d'un Français perçait dans l'orchestre de la conversation, nasillarde comme une trompette bouchée — *Ze (The) Absolu can, in no circomstance, evair come into manifestation...* Voyons, ça n'est pas logique, ça ! »

« Mais je crois comprendre, d'après certains livres...»

« Vous pouvez croire cela, sans doute — bien que cette

brave femme du Yorkshire n'eût pas l'air d'y croire elle-même — mais rendez-moi la bonne vieille histoire de Jésus-Christ et la religion chrétienne ! »

« Aucun de nous ne renie la religion chrétienne, Mrs. Satterthwait... »

« Homme admirable, que ce Sir Thomas... *lui* pratique réellement la fraternité. »

« ... à quel point cette femme tient aux titres de noblesse...», chuchotait mon voisin.

« L'atome permanent se trouve-t-il toujours au centre de la gorge, Mrs. Portman ? »

« Ma chère Chris, j'ai fait un rêve si curieux... Cela ne pourrait-il être le souvenir d'une incarnation antérieure ? »

« Si bizarre... mes doigts de pied me démangent toujours terriblement, lorsque je suis en train de méditer ; que croyez-vous que ça signifie ?...»

« *Cette année — l'an prochain — une fois ou l'autre — jamais !* » Ceci n'était que l'un des hôtes comptant avec grand sérieux ses noyaux de prune.

Et à la tête de cette longue tablée était assise Chris — sans cesse requise comme juge suprême et dernière instance — Chris qui tantôt s'efforçait de ne pas éclater de rire, tantôt répandait de l'huile sur les eaux agitées, faisant de son mieux pour amener un semblant d'harmonie parmi les heurts réciproques de personnalités aussi diverses.

* * *

Ma mémoire revient maintenant à d'autres scènes bien différentes : Chris, dans son vaste et romantique jardin aux verts gazons, aux sentiers sinueux, à l'étang semé de lotus, aux pergolas et aux tonnelles couvertes de roses ; Chris, discourant haute métaphysique au milieu d'un petit cercle d'hommes qui l'écoutaient, séduits et captivés. Ne cherchant nullement à se mettre en avant, elle ne suscitait jamais l'agaçante impression de rechercher l'effet. S'adaptant avec une parfaite aisance à tel ou tel sujet qu'elle n'avait jamais approfondi, et y pénétrant par la seule intuition de l'esprit, elle tenait, sur ce sujet, des discours aussi exacts qu'érudits... Je me souviens d'une occasion où quelqu'un la défia de donner une petite conférence sur l'art japonais : non seulement elle l'essaya, mais elle s'en tira de la plus brillante façon !

Bien que tout le monde s'accordât pour déclarer Mrs. Portman une femme extraordinaire, les théosophes eux-mêmes (à quelques exceptions près,) ne soupçonnaient aucunement combien étroite était sa relation avec les Maîtres de la Sagesse, qu'on leur avait appris à révérer. Et si on le leur avait dit, certains d'entre eux se seraient refusé à le croire. Comme Madame Blavatsky, de fameuse et discutable mémoire, Chris avait, dès sa petite enfance, contemplé, grâce au don de *clairvoyance*, un Etre imposant et rayonnant d'amour, qu'elle sut, plus tard, être l'un des Maîtres de l'Himalaya — son propre Maître à elle. Je me souviens qu'elle me confia, un jour que nous étions assis dans un coin écarté du jardin, comment — son corps étant plongé dans le sommeil — elle se transportait jusqu'à Sa demeure, à Shigatsé, et, dans un ravissement d'enfant, l'écoutait improviser sur l'orgue qu'Il s'était fait construire là-bas. Car le Maître Kout Houmi prend un intérêt très spécial à la musique et s'efforce d'inspirer tous ceux qui, à des degrés divers, sont réceptifs à son influence.

Chris, elle-même, avait un véritable génie d'improvisation. Elle était capable de percevoir la musique supra-terrestre des *Dévas* [1] et (compte tenu des limitations d'un instrument fait

---

[1] Esprits de la nature, qui sont de tous les degrés — de la plus humble fée jusqu'aux Anges les plus élevés. *(Note de l'auteur)*.

de main d'homme) de la reproduire en mélodies terrestres. Il semble, en un sens, étrange qu'un être si hautement doué fût condamné à passer sa vie dans une atmosphère de maladie et de déséquilibre mental, à l'endroit desquels j'ai toujours deviné que sa nature sensitive avait un recul intime...

« Oh ! si seulement j'avais pu être musicienne !» s'exclamait-elle parfois d'un ton nostalgique. Puis, avec son drôle de petit sourire : « Allons ! Il fallait qu'il en fût ainsi...», et comme pour chasser ce désir inopportun, elle s'en allait bien vite encourager l'un de ses nombreux malades. Lorsque un peu plus tard, courant vers quelque autre mission charitable, elle glissait légère devant moi : « N'allez pas imaginer, lançait-elle par-dessus son épaule, que je n'aime pas mon travail auprès de mes pauvres *éclopés* !»

· « Plus ils sont éclopés, plus vous les aimez...» rétorquais-je, et son rire seul me répondait de loin.

* * *

Un jour, je parlai à Chris de mon Maître, J. M. Haig, mais je m'abstins de mentionner son nom.

« Oh ! que c'est intéressant !» s'écria-t-elle, enthousiasmée ; puis je vis dans ses yeux ce regard lointain, signifiant qu'elle « repérait » quelque chose.

L'instant d'après, elle sourit à part elle — d'un petit sourire énigmatique et singulier.

« Ecoutez, Chris ! dis-je alors, vous n'allez pas garder tout cela par-devers vous. Car je sens que vous en savez sans doute plus long que moi sur mon Maître... Dépêchez-vous de raconter !»

Elle rit de tout son cœur : « Ce que vous m'amusez !»

« J'en suis ravi ; mais j'attends que vous me disiez ce que vous savez de mon Maître. »

« Oh ! pas grand'chose ! Seulement que son travail personnel est en rapport avec la préparation de corps physiques nouveaux, adaptés à la nouvelle sous-race [1]. »

« Voyez-vous ! m'écriai-je ; je ne savais rien de tout cela. »

« Vraiment ! » dit-elle surprise, ou faisant semblant de l'être.

« Comment le saurais-je ? Il ne me l'a jamais dit. Je me demande au monde pourquoi... »

« Les voies des Maîtres sont mystérieuses, dit-elle. Peut-être n'y attachait-il pas une telle importance. »

« Ou peut-être qu'il ne désirait *pas* que je le susse... et vous avez mis les pieds dans le plat ! » fis-je, taquin.

« Il lui est indifférent que vous le sachiez ou non, sans quoi je ne vous l'aurais pas dit. »

« Bon, bon. Mais, s'il vous plaît, dites-m'en davantage ! »

« Tous ces exercices physiologiques du Yoga, qu'il enseigne... »

« Oui, eh bien ? »

« Ils sont destinés à créer des corps extrêmement vigoureux et bien contrôlés, en même temps qu'extrêmement sensitifs. C'est ce que la nouvelle Race devra être. »

« Vous pensez que si ces élèves ont par la suite des enfants, ils hériteront de tout cela ? »

« Oui, sans doute. »

« Et pourquoi cela doit-il se passer en Amérique ? »

« Parce qu'il y aura bientôt, dans ce pays, un grand nombre de corps de la sixième sous-race. Pas *uniquement* dans ce pays, d'ailleurs. Votre Gourou, quant à lui, a entrepris ce travail

---

[1] C'est-à-dire la *sixième* sous-race de la Cinquième Race — dont le type apparaît, actuellement, en Amérique. La grande majorité des humains nés en Occident appartiennent à la cinquième sous-race de la Cinquième Race. *(Note de l'auteur.)*

parmi les Américains, dans le Cycle particulier où nous sommes [1]. »

« Ceci devient très intéressant... Dites-m'en encore davantage ! » Mais on vint, à cet instant-là, appeler Chris pour s'occuper de quelqu'un qui avait pris une attaque d'épilepsie. Toujours des interruptions — d'une sorte ou d'une autre !

* * *

Je me rappelle encore certains personnages singuliers, qui arrivaient de temps à autre aux *Pins*, sous prétexte qu'ils se sentaient un peu « démolis », mais, en réalité, parce qu'ils voulaient entendre la confirmation de leurs impressions psychiques, ou simplement vider leur cœur auprès de Chris. Telle âme bien disposée, mais pleine d'illusions, s'imaginait être en communication fréquente avec la Vierge Marie. Elle pria même une fois Chris de s'agenouiller avec elle devant la Madone — qui, selon elle, était présente... Malheureusement tout ce que Chris put discerner, c'était un malin fantôme, qui s'amusait follement d'une mascarade consistant à prendre les traits d'un être aussi élevé dans l'Au delà : elle se trouva donc dans l'obligation de faire comprendre à la bonne dame que ses visions provenaient de son subconscient, ou qu'en tous cas, ce qu'elle voyait n'était pas tout à fait ce qu'elle croyait être, — la Vierge Marie n'ayant rien à voir là-dedans...

Je me souviens d'une autre femme, corpulente et sanguine, qui prétendait recevoir des « enseignements » de la part de grands Etres d'une inconcevable majesté. Les « Etres » en

---

[1] Le Cycle de Mars, long de 35 ans, s'étend de l'année 1909 à 1944. Mars est la planète astrologiquement responsable des guerres et des révolutions ; elle stimule également l'étude et le contrôle de l'Inconscient, par le moyen de la Psychanalyse et du Yoga. *(Note de l'auteur.)*

question semblaient, toutefois, singulièrement accommodants : le docteur lui ayant interdit, pour sa santé, de s'adonner à son goût pour le porto, elle s'en abstint durant quelques jours, puis nous déclara à tous — le docteur inclus — que ses puissants « Maîtres » avaient annulé cette prescription ! Et là, de nouveau, Chris dut intervenir...

Celle-ci ne contestait pas, d'ailleurs, que la clairvoyance de telles femmes ne fût parfois réelle. La difficulté était précisément que, comme tous les clairvoyants peu entraînés, elles ne savaient pas distinguer « l'ivraie du bon grain », ni empêcher que leurs « intuitions » et leurs « visions » ne fussent influencées par leurs désirs personnels. Rendre des êtres de ce genre capables d'auto-critique sans toutefois les plonger dans un complet découragement, c'était dans cette tâche, délicate et difficile, que consistait principalement le travail de notre amie.

* * *

Je pourrais multiplier ici les souvenirs que m'a laissés Christabel Portman, et, ce faisant, je remplirais un volume. Mais même ce portrait, rapidement esquissé, n'est pas une simple fantaisie littéraire de ma part : il n'est que le prélude au plus vivant de tous mes souvenirs — celui du dimanche matin où Chris vint à moi, disant : « Le Maître a offert de vous parler. »

* * *

Seule dans la chambrette lambrissée de chêne réservée à ses méditations, Chris était assise dans un fauteuil auprès du feu. Mais le sourire ineffable avec lequel elle m'accueillit n'était *plus le sien*, et bien que sa voix fût la même, les inflexions et le choix des mots étaient différents des siens.

Ses lèvres articulaient chaque parole avec une douceur pleine d'amour : « *Salut à toi, mon fils...* » et sa main retint un moment la mienne avant qu'elle m'invitât à m'asseoir — d'un geste qui ne rappelait en rien les siens propres.

Je me rendis compte, alors, qu'elle avait fait ce que seuls les initiés d'un degré avancé peuvent faire : elle s'était consciemment retirée de son corps, cédant temporairement la place à la personnalité de son Maître.

Je voudrais qu'il me fût permis d'écrire *tout* ce qu'Il me dit à cette occasion, et en d'autres, où Il me fit l'honneur de me parler ; mais Il m'a enjoint de garder le silence. C'est qu'une grande partie de ce qu'Il me dit était de caractère privé ; quant au reste de ses enseignements, il ne saurait encore être divulgué dans un livre. Mais son amour, sa tolérance, sa modestie, la richesse de son langage, son don d'élucider les problèmes difficiles, ou d'exposer des vérités occultes en quelques mots simples et un symbole poétique, — de tout cela je me sens contraint de parler ! En dépit de sa puissante intelligence et de la spiritualité qui rayonnait de sa personne, il semblait si tendrement humain... Il n'y avait rien en lui de patronant, rien de cette façon de regarder de très haut la puérile faiblesse de pauvres hommes encore si peu évolués. Plus d'une fois, je me vis contraint de déplorer mes défaites ; mais au lieu de me faire des reproches, Il me rassurait et me réconfortait, concédant que les tâches à moi proposées étaient trop ardues pour s'accomplir en un court espace de temps. Aussi longtemps qu'Il voyait que ses élèves faisaient réellement tout leur possible pour atteindre le but, Il ne leur adressait nul reproche. Il ne montrait du déplaisir que s'ils s'avéraient indifférents et irréfléchis.

Je sortais de ces entrevues exalté, restauré dans mon corps et dans mon esprit, et avec une lucidité de mémoire telle, qu'à l'heure qu'il est je me rappelle pour ainsi dire chacune des parole qu'Il a proférées.

* * *

Mais Chris vint à mourir — et ces entrevues, si vivifiantes pour mon âme, prirent fin.

Perpétuellement entourée de malades qui, sans nul arrêt, réclamaient quelque chose d'elle, donnant toujours et recevant rarement quelque chose en retour, consacrant toujours plus de ses forces décroissantes à son mari — depuis quelques années handicapé dans son travail par les attaques d'un mal inguérissable — Chris contracta elle-même une douloureuse et fatale maladie. Les personnes de son entourage en étaient venues à dépendre par trop d'*elle seule* et, pour le bien même de leur développement spirituel, autant que pour des raisons relatives à *sa* propre évolution, il avait été jugé préférable que Chris nous fût retirée.

Par pur amour, elle s'était toute sa vie immolée au bien des autres — de même que des milliers d'années auparavant, elle s'était déjà sacrifiée pour redescendre des plans libres et joyeux du royaume des Dévas sur les plans bornés et discordants de la Terre. Bien qu'à nos yeux limités elle fût un être ordinaire, pour ceux qui étaient à même de *voir*, elle était demeurée, en esprit, un Déva et elle était aimée des Dévas autant qu'elle les aimait elle-même. En vertu de ce lien, lorsqu'elle soignait les malades, le pouvoir guérisseur de ces êtres supérieurs guidait ses mains ; lorsqu'elle touchait le piano, le Déva-des-Sons l'inspirait — et même les petits esprits de la nature, affairés parmi les fleurs, mêlaient leur allègre vivacité à sa joie sans cesse rayonnant sur son entourage.

CHAPITRE II

ANXIÉTÉ

Une fois le S.O.S. destiné à mon Gourou dûment rédigé, Viola y ajouta quelques lignes pathétiques, où elle se reprochait vivement d'être aussi peu philosophe et de ressentir ce qu'elle nommait un « chagrin égoïste ». Je lui dis que ces aveux me semblaient inutiles, mais je ne l'en admirai pas moins d'être assez loyale pour ne pas chercher à se justifier elle-même.

Curieuse coïncidence : l'après-midi même où je venais de mettre cette lettre à la poste, je me heurtai — dans le vestiaire d'un club londonien — à Toni Bland !

« Il me semble vous avoir déjà rencontré quelque part... », remarqua-t-il.

Je ne le remis pas non plus immédiatement — puis, simultanément, nous nous rappelâmes...

« Moreward Haig », dit Toni, en me serrant la main.

C'était toujours le même petit homme, mince et efféminé, que j'avais vu des années auparavant à Boston chez Moreward Haig, et dont j'avais tracé le portrait — légèrement camouflé — dans mon premier volume d'Impressions. Depuis lors, j'avais toujours eu grand'peur de le rencontrer, craignant qu'il n'eût lu mon livre et s'y fût reconnu...

Ayant noté mon embarras, il sourit.

« J'aurais un petit compte à régler avec vous, me dit-il, mais je n'en ferai rien. Ce portrait de ma personne a été tracé dans la meilleure des intentions ! »

Je feignis, comme un grand lâche, de n'avoir pas saisi...

« Sûrement, vous n'avez pas oublié votre propre livre ? » suggéra-t-il.

« Ah ! répliquai-je ; mais c'est déjà assez que d'avoir écrit ce livre... Vous ne pouvez guère me demander de l'avoir aussi lu ! »

Il se mit à rire, et je commençai à admirer réellement ce petit homme. Il eût pu se comporter bien différemment, étant donné la manière dont je l'avais ridiculisé ! Après cela, je m'avouai vaincu et nous eûmes ensemble un long entretien, pour moi révélateur. J. M. Haig m'avait averti, vingt ans auparavant, de ne pas juger Toni Bland sur de simples apparences. Mais, même en tenant compte de cela, il était à peine croyable qu'un homme eût pareillement changé à son avantage... et ceci me permit de constater, une fois de plus, ce que peut faire un Gourou d'un élève bien disposé.

* * *

Quelques jours plus tard, j'invitai Toni Bland à prendre le thé chez moi, pour lui faire rencontrer ma femme et le compositeur Lyall Herbert, un autre élève de Moreward que j'avais connu à Boston. Nous avions espéré être seuls tous les trois, mais qui pénétra bientôt majestueusement dans la chambre, si ce n'est Mrs. Saxton ? Cette femme obèse et déterminée avait fréquemment séjourné aux *Pins*. En fait c'était moi qui, le tout premier, lui avait conseillé de s'y faire traiter. Quelques années auparavant, elle avait été théosophe ; elle se proclamait alors une admiratrice convaincue de Mrs. Besant, était toute à la dévotion des Maîtres et appartenait à l'église

catholique-libérale. Puis elle avait tout jeté par-dessus bord
en faveur de Krishnamurti : et parce que Krishnamurti répu-
diait sommairement les Théosophes, les Maîtres et les églises
de toutes dénominations, elle fit comme lui... Mrs. Besant avait
publiquement déclaré que Krishnamurti était le *Maître du
Monde* attendu : fort bien ! Ce que le Maître du Monde annon-
çait devait nécessairement être juste.

Les présentations faites, Mrs. Saxton se laissa tomber
lourdement dans un fauteuil ; puis elle dévisagea longuement
Toni Bland et — comme je pus l'observer — le classa immédiatement dans cette catégorie d'hommes efféminés et insignifiants
qu'elle jugeait « inadmissible ».

Nous ne l'avions pas revue depuis la mort de notre amie
Chris ; aussi murmurai-je quelques paroles relatives à ce
tragique événement.

« Tragique ? » répliqua Mrs. Saxton, sur un ton volontairement
léger qui renfermait un blâme. « Je ne vois pas du tout cela
comme vous ! »

« Mais un si grand nombre de personnes étaient devenues
complètement dépendantes d'elle, que sûrement... »

« Eh bien, elles apprendront à compter sur leurs propres
forces ! » interrompit-elle d'un ton sentencieux.

« Même si leur faiblesse est *telle*, qu'elles risquent de s'effon-
drer ? » questionna Herbert, qui s'amusait énormément.

Mrs. Saxton le regarda du haut de son grand nez, puis
feignit de l'ignorer.

« Figurez-vous, reprit-elle, que Miss Hart, cette petite
créature à l'esprit dérangé qui était toujours suspendue à
Christabel, parle maintenant de communiquer avec elle par le
moyen du spiritisme et d'un médium ! »

« Oh ! est-ce que vous pensez que... » fit Viola avec vivacité,
puis elle s'arrêta, rougissante.

« Si je pense qu'elle a la moindre chance d'obtenir un résultat ? » acheva pour elle Mrs. Saxton. « Je suis bien convaincue que non ! Pauvre chère Christabel — elle avait ses faiblesses — cette idée de croire que les Maîtres sont nécessaires à notre progrès, et toutes ces sornettes... Mais je suis bien sûre que là où elle est, elle se trouve hors de l'atteinte des gens qui, n'obéissant qu'à leur propre faiblesse, essayent de se raccrocher à elle par le moyen des médiums ! »

« Pauvre Miss Hart... » murmura Viola. Elle pensait, je le savais, à cette petite maîtresse d'école neurasthénique et moralement brisée, pour qui Chris était *tout*.

« Bienheureux ceux qui pleurent, car ils seront consolés » dit tranquillement Toni Bland ; et Viola lui jeta un regard de gratitude.

« Si les gens vivaient dans la vérité, déclara Mrs. Saxton, ils n'auraient jamais besoin de consolation. »

« *Si*... » commença Toni...

« Si les gens n'étaient pas si raccornis... », interrompit Viola — mais je fronçai les sourcils pour la faire taire.

« Ainsi, vous avez étudié Krishnamurti ? » demanda Herbert à Mrs. Saxton.

« Je vais à Ommen toutes les fois qu'il y a un *camp*, » répondit-elle du ton d'une femme résolue à s'y rendre — avec ou sans camp.

« A propos, que pensez-*vous* de Krishnamurti et de ses déclarations ? » demanda Viola à Toni Bland.

« Excellent correctif à un bourrage de crâne spirituel souvent excessif et peu judicieux. C'est la philosophie de l'*Advaita*, présentée sous un vêtement moderne par une âme très pure et très belle. »

« Alors vous ne croyez pas que Krishnamurti soit le *Maître du Monde* ? »

Il sourit. « Avons-nous besoin d'un Maître du Monde, pour nous apprendre ce qui est aussi vieux que les montagnes ? Pouvons-nous appliquer le terme de « Maître » à un homme qui nous affirme que nul être, si grand soit-il, ne pourra jamais nous apprendre quoi que ce soit ? »

Mrs. Saxton lança à Toni un regard enflammé de colère ; mais, comme il avait l'habitude de garder à demi-fermés ses yeux, rêveusement tournés vers l'espace, il ne put observer son expression.

« Quand nous désirons apprendre le piano, un maître nous est-il *absolument* nécessaire ? poursuivit-il. Peut-être bien que non ! Mais en profitant de son expérience et de ses directions, l'on peut, du moins, s'épargner beaucoup de peine et de temps. »

« Ne serait-ce pas drôle, fit Herbert en riant, si un individu reconnu comme le « Maître Mondial du Piano » venait nous dire que tous les professeurs de musique sont autant d'obstacles à notre possibilité d'apprendre jamais le piano ! Représentez-vous l'immense foule des gens vaniteux s'imaginant qu'ils sont des Paderewski — alors que leur « talent » est tout juste bon à mettre leur instrument en pièces ! »

« Quel délicieux plat de muffins vous nous offrez là ! » interrompit d'un ton acide Mrs. Saxton, qui s'adressait à ma femme.

Lorsqu'elle fut partie, nous échangeâmes des regards...

« Oh ! comme elle me déteste... », fit Toni, d'une voix comiquement plaintive.

« Et moi donc ! » dit Herbert, riant toujours.

« Voilà donc ce que les enseignements de Krishnamurti ont fait d'elle ! » remarqua Viola indignée.

« Tu n'es pas juste ! » m'écriai-je. Puis, me tournant vers les autres : « Je la connais depuis des années, et elle a toujours été ainsi. Il y a bien longtemps, j'avais engagé Moreward Haig à aller la voir, et plus tard je l'ai fait figurer dans mon premier livre, convenablement camouflée, cela va sans dire ! »

« Oh ! vous et vos livres... » murmura Toni, en m'adressant un clin d'œil.

« Elle a fort bien reconnu le Maître, dans mon livre ; mais, par bonheur, elle ne s'est *pas* reconnue elle-même. Lorsqu'elle mordit à la théosophie — en partie pour avoir lu mon ouvrage — et qu'elle entendit parler des Initiés, elle se glorifia d'en connaître un personnellement, et dans la chair. Mais évidemment, maintenant qu'elle a passé à Krishnamurti, elle les envoie tous au diable. Néanmoins il est fort injuste de l'accuser, lui, des insuffisances de cette femme... Vous figurez-vous qu'elle ait même la plus faible notion de ce dont il parle ? »

« Ah, si c'est *cela* ! » fit malignement Viola.

« Certaines gens changent de caractère en même temps que de philosophie » observa Toni Bland. Il ouvrit tout grands les yeux et nous sourit.

« Je trouve ton « petit homme » absolument délicieux, déclara Viola quand nous fûmes de nouveau seuls ; il tape toujours « sur le clou » si finement et si gracieusement. »

« Penser que c'est là le type qui me semblait incapable de dire *bou !* à une oie, quand je l'ai rencontré pour la première fois ! »

« Je ne puis pas le croire, fit-elle en riant, et personne ne te croirait. Il est le genre de personne vers qui l'on irait spontanément si l'on avait du chagrin ! Quant à cette stupide vieille femme et ses remarques protectrices au sujet de Chris... »

« Oh ! oh ! que fais-tu de l'esprit fraternel ? » interrompis-je, taquin.

« Au diable la fraternité ! rétorqua-t-elle. On ne peut même pas dire que son attitude soit le moins du monde originale — elle ne fait que copier Krishnamurti... Parce qu'il a dit quelque part que s'attacher à un individu implique tôt ou tard la souffrance, elle... elle... »

« ...vous offre du Krishnamurti mal digéré comme pâte à étendre sur le pain, hein ? »

Viola fut obligée de rire malgré elle.

« Le fait est... », repris-je — mais elle me coupa la parole : « Le fait est que la mort de Chris n'est *pas* une douleur pour elle : elle ne l'a jamais vraiment aimée ! »

« Précisément. Mais les personnes qui l'aimaient — et tu sais que je lui étais fort attaché — ne prennent pas la chose aussi tragiquement que toi, ma chère. »

« Oh ! tu es tellement plus équilibré, plus philosophe que moi ! cria-t-elle impulsivement. Je voudrais te ressembler, mais cela n'est pas et il n'y a rien à y changer. Je sais que tu te réjouis sans égoïsme de savoir Chris libérée — et je m'en réjouis aussi, bien sûr... mais elle me manque *si* terriblement... » Sa voix tremblait, et je compris une fois de plus combien justes (bien que trop ressassés) sont ces vers du poète :

Oh ! toucher encore une main disparue,
Ouïr le son d'une voix qui s'est tue... [1]

Ils défiaient tout argument intellectuel.

« Eh bien, fis-je avec une gaieté forcée, je me demande ce que Moreward va nous répondre... Je crois pouvoir dire qu'il nous fera obtenir un « message » d'*elle*. Après tout, te rappelles-tu que lorsque ma mère est morte, le Maître Kout Houmi n'a pas dédaigné de me transmettre des nouvelles d'elle par l'intermédiaire de Chris ? »

---

[1] *Oh, for the touch of a vanished hand,*
And the sound of a voice that is still...

Vers d'un poème de Tennyson adressé à la mer : *Break, break...* *(Note de la traductrice.)*

« Et je l'ai aimé d'autant plus pour cela, murmura Viola ;
il s'est montré si humain... » — Après un silence lourd de
songerie elle s'écria, nostalgiquement : « Oh ! comme je voudrais
que le Maître ne fût pas si loin de nous — et que nous puissions
avoir une réponse immédiate ! »

On eût dit une femme en train de se noyer, qui chercherait
en vain une bouée de sauvetage.

CHAPITRE III

LA FOUDRE TOMBE

Plusieurs semaines s'étaient écoulées et nous n'avions toujours aucune réponse de mon Gourou. Si la santé et le moral de Viola eussent été meilleurs, et l'état de nos finances moins décourageant, j'aurais été fortement tenté de traverser l'Océan et de me présenter en personne chez Moreward Haig. Bien des années avaient passé, depuis mon inoubliable séjour à Boston, auprès de lui-même et de ses chélas ; mais mon désir de le revoir dans la chair, loin de s'affaiblir avec la fuite du temps, n'avait fait que s'intensifier. Souvent, au cours de ces années, je m'étais étonné qu'il ne me suggérât pas de lui faire une nouvelle visite ; mais, ainsi que Chris l'avait sagement remarqué : « Les voies des Maîtres sont mystérieuses... » Sans doute il avait ses raisons. D'ailleurs j'avais l'extraordinaire bonheur de m'entretenir parfois avec un Maître et d'en recevoir des instructions : il s'agissait du Maître de l'Himalaya, dont J. M. H. m'avait souvent parlé avec amour et vénération, comme d'un Initié bien plus grand que lui. Cette façon de remettre temporairement l'un de ses élèves à un autre Gourou est souvent adoptée par les Maîtres de la Sagesse, à qui de mesquines faiblesses telles que la « jalousie professionnelle » sont absolument étrangères. Mais il va de soi que, depuis la mort de Chris et la disparition des pouvoirs occultes de Viola, j'étais devenu entièrement dépendant, pour les conseils et directions à recevoir de mon Maître, des moyens de communication normaux et ordinaires. Rien de surprenant, dès lors, que ma femme et moi attendissions la lettre de M. J. H. avec une impatience non dissimulée.

Et puis, un beau matin, la foudre tomba.

Au lieu de la réponse si longuement attendue, je reçus un mot de son secrétaire, m'informant brièvement que le Maître avait disparu... Mon expression, en lisant ces quelques lignes, dut refléter mon immense surprise et mon complet désarroi.

« Au nom du ciel qu'est-il arrivé de nouveau ? » demanda Viola, qui venait de descendre pour le petit déjeûner.

Nul subterfuge n'était possible : je devais lui dire... Ce fut un horrible moment, car je savais ce que cette perte signifierait pour elle. Elle avait perdu Chris ; elle perdait maintenant son Gourou — et, avec lui, toute espérance. Elle était réellement une femme malade et peu en état de recevoir un tel choc. Cependant, j'étais impuissant à le prévenir... Elle devint fort pâle, n'articula pas un mot, puis éclata en larmes.

Dans mon désir de la consoler, je m'efforçai de traiter légèrement cette nouvelle. « Ma chérie, fis-je, l'entourant de mes bras, tu ne crois, j'espère, pas un instant qu'il ait disparu pour tout de bon ? Il reparaîtra sûrement en parfait état ! Peux-tu supposer qu'il s'en irait ainsi et quitterait ses chélas sans un mot, s'il n'avait l'intention de revenir bientôt ? »

« Nous n'aurions jamais supposé non plus que les Maîtres laisseraient partir Chris, sanglota-t-elle, et pourtant c'est arrivé... Oh, je ne puis le supporter. Dois-je donc perdre chacun de ceux que j'aime ? »

Subitement, je me sentis indigné contre Moreward : quel droit avait-il de s'esquiver de la sorte, en causant tant de souffrance ? Dieu sait que Viola s'était montrée une fidèle disciple, durant cette année où nous nous trouvions à Boston — se sacrifiant même héroïquement pour obéir aux décrets de son Maître. Il savait, sans nul doute, qu'elle était réellement malade et venait de perdre son amie ; et il choisissait précisément ce moment-là pour disparaître ! Qu'en était-il donc de tous les autres chélas ? Les avait-il quittés sans aucune sorte d'explication, les abandonnant à leur souffrance ? Mais les pensées de révolte étaient sans objet et, en tous cas, ne pouvaient apporter aucun réconfort à Viola ; aussi m'efforçai-je de les bannir. D'autres lettres non-décachetées m'attendaient et, parmi elles, une épaisse missive portant l'estampille de Boston. Je déchirai l'enveloppe :

« Mon cher Broadbent — pus-je lire — Comme Heddon te l'aura sûrement écrit, nous autres chélas venons de recevoir un fameux coup de poing dans le plexus solaire !... Justin Moreward Haig s'est évaporé... Il y a deux mois qu'il est parti, nous laissant supposer qu'il serait de retour dans quelques jours, et, depuis lors, assis sur nos derrières, nous l'attendons... Le bruit court même qu'il aurait été tué dans un accident de rail, en Californie, car un Mr. J. M. Haig figure sur la liste des décès. Le Dr Moreton (un chéla que tu ne connais pas, je crois) fréta immédiatement un avion pour aller faire des recherches ; mais le cadavre en question était méconnaissable. Bien d'autres étaient dans le même état, d'ailleurs. L'unique signe indicateur était une valise neuve où se trouvent gravées les initiales « J. M. H. » Personnellement, je ne crois pas qu'il s'agisse de notre Gourou. Les Initiés de son degré n'ont pas le genre de Karma qui les prédestinerait à mourir dans des accidents de chemin de fer. Je soupçonne qu'Heddon, qui est le plus avancé

des chélas du Maître, en sait davantage sur cette affaire qu'il
ne veut le dire... Mais cela ne nous est d'aucune utilité, à nous
autres... Plusieurs chélas disent avoir eu le pressentiment que
le Maître allait bientôt s'en aller, car il leur a reproché, récemment, de ne pas progresser aussi rapidement que c'eût été en
leur pouvoir, et leur demanda s'ils s'imaginaient qu'il serait
toujours avec eux pour guider chacun de leurs pas !

» Quoiqu'il en soit, j'ai pensé que je voulais vous informer
de l'événement, souhaitant que vous n'en soyez pas trop boule-
versés. Je voulais te dire, aussi, que je ferai prochainement le
voyage de Londres. Il y a une année que mon pauvre *Dad*
(papa), qui souffrait depuis de longs mois, est décédé, me
laissant la plus grande partie de son argent. Pourquoi ne pas
le dépenser en partie à voir le monde ? Je suis plutôt un type
jovial — mais cette disparition... ça me l'a un peu coupée !...
Boston sans Moreward Haig — eh bien je crois que je préfère
m'en tirer les pattes quelque temps ! J'espère traverser l'Océan
dans un mois, à peu près, et vous lancerai un coup de téléphone
dès mon arrivée en Angleterre. Souvenirs à Viola.

» Cordialement.

ARKWRIGHT.

P. S. Vous n'auriez pas, par hasard, aperçu un Gourou
apprivoisé courant les rues de Londres ?.. »

L'auteur de cette lettre pleine de verve avait vraiment
trouvé le terme exact, en parlant d'un « fameux coup de
poing dans le plexus solaire ». Mais que devais-je au monde dire
à Viola ? Laissant son déjeûner intact, elle avait quitté la
chambre, ce qui, du moins, me laissait le temps de la réflexion.
Lui raconter que J. M. H. avait peut-être été tué, ç'eût été
lui porter le coup de grâce ! Dans son présent état d'esprit, la

simple mention d'une aussi tragique éventualité équivaudrait à lui faire croire que ce malheur *était* arrivé. L'était-il ?... Se pouvait-il que Moreward Haig, ayant malgré tout quelque Karma à liquider, eût choisi ce moyen-là de le faire ? Cette pensée était horrible. Monter dans un train en *sachant* qu'à un moment donné la catastrophe se produira et qu'on sera anéanti..., quelle épouvantable perspective ! Peut-être, après tout, Moreward n'était-il pas un initié aussi élevé que nous l'avions imaginé ? Peut-être que, différent des grands Yogis de l'Inde dont il nous parlait souvent, il n'était pas à même de prévoir l'heure de sa mort et que même ses remarquables facultés de clairvoyance lui avaient été retirées par des Puissances plus hautes que lui-même ?

Ainsi, moi qui avais cru ne jamais pouvoir douter, je me trouvais plongé dans le plus désolant de tous les états d'âme... Dès que j'essayais de chasser mes incertitudes par quelque excellent argument, un argument contraire se dressait devant mon esprit — tout comme si une invisible entité, debout auprès de moi, l'imprimait dans mon cerveau.

Mais en attendant, ma femme se débattait sans doute contre les affres d'un double chagrin : il fallait monter auprès d'elle. Je résolus, toutefois, de ne pas lui souffler mot de la lettre d'Arkwright. Si je recevais, par la suite, la preuve définitive que J. M. H. avait bien été tué, j'aurais alors à le lui annoncer le plus délicatement possible.

Je trouvai Viola étendue sur son lit, en proie à des souffrances à la fois physiques et morales.

« Cette pauvre petite Miss Hart... », commença-t-elle faiblement.

« Oui, chérie, que veux-tu dire ? »

« Crois-tu qu'elle a réellement pu communiquer avec Chris ? Tu te rappelles... ce que disait Mrs. Saxton ? »

Je fis un signe affirmatif. « Cela ne prouve rien ! dis-je d'un ton encourageant. As-tu l'intention d'essayer toi-même ? »

« Je crois que j'aimerais la voir. Pourrais-tu lui téléphoner ? » J'allai au téléphone et, un instant plus tard, je parlais à Miss Hart — ou, plutôt, c'était *elle* qui faisait les demandes et les réponses.

« Comme vous êtes aimable de me téléphoner ! J'avais si grande envie de vous voir, mais je me sentais trop timide... Etes-vous certain que je ne suis pas indiscrète en venant ? Tout à fait sûr ? Cela ne fatiguera pas trop Mrs. Broadbent ? Je sais qu'elle est très peu bien et quand on est ainsi... Je crois que je ferais bien de ne rester qu'un instant... Juste un quart d'heure ? Ou bien est-ce trop long ?... Cela va ?... »

« Juste Ciel ! » m'exclamai-je, quand je pus enfin déposer le récepteur.

Miss Hart vint chez nous l'après-midi de ce jour : une ardente, agitée, volubile petite créature d'un âge incertain et, en toutes choses, aussi peu moderne que possible. Je n'avais pas eu l'intention d'assister à sa visite, mais je me trouvai pris... Miss Hart vivait dans un tourbillon d'espoirs, de doutes, de nostalgies et de désarrois... Elle s'assit au chevet de ma femme, de l'air d'une enfant pressée de confier à quelqu'un tout ce qui l'occupe ; en fait, elle avait déjà entamé les confidences avant que nous eussions pu la décider à prendre place.

« Une si gentille femme... si bienveillante ! Elle ne m'a pris que cinq *shillings* pour la séance, parce que j'ai mentionné que j'avais peu de moyens et que je souffrais de terribles maux de tête... Notre Chris était si merveilleuse, en ces cas ; le contact de sa main était magique... Hélas ! Mais je ne dois pas être déprimante, Mrs. Broadbent... Voyons, qu'est-ce que je disais ? Ah oui, ce médium..., seulement cinq *shillings*... n'était-ce pas gentil de sa part ? Quand on pense que les gens accusent les médiums de ne songer qu'à se faire de l'argent ! Elle m'a décrit notre Chris — oh je suis sûre que c'était elle : ses cheveux blancs, la robe bleue qu'elle mettait le soir..., ses amusantes petites manières de faire, son sourire... *tout* ! Et elle a ajouté que Chris m'envoyait son affection et disait qu'en réalité, elle n'était pas bien loin de nous, et... » Soudain, la voix de Miss Hart se brisa, tandis que ses yeux s'emplissaient de larmes. « Et c'est alors que Mr. Clegg a tout gâté..., quoiqu'il passe pour un être si merveilleusement *psychique* ! »

« *Gâté* ? » demanda vivement Viola. « Que voulez-vous dire par là ? »

« Lorsque je lui ai raconté notre séance — je le vois souvent, vous savez — il a déclaré qu'un être aussi hautement évolué que Chris se trouvait sur un plan si élevé, qu'il devait lui être impossible de se communiquer. Ce n'était que sa *coque astrale* que le médium avait vu — pensez donc..., sa *coque astrale*... [1] et moi qui était si sûre... »

« J'aurais pensé, interrompis-je doucement ce flot de paroles, que plus les âmes sont évoluées, plus aussi elles sont riches de compassion et désireuses de consoler ceux qu'elles ont laissés derrière elles. »

« Oh ! Mr. Broadbent », cria la pathétique petite créature, tandis que ses yeux se mouillaient de nouveau, « le croyez-vous réellement ? »

« Je ne vois pas comment on pourrait penser autrement », répliquai-je. Puis, m'étant excusé, je m'esquivai de la chambre.

Je me dis, par la suite, qu'un homme tel qu'Harold Clegg eût pu agir avec plus de bon sens, que d'exposer ses théories relatives à la survie de Chris Portman en présence d'une

[1] La *coque astrale* correspond, sur le Plan astral, à l'enveloppe physique ou cadavre que l'homme laisse derrière lui à sa mort. *(Note de la traductrice.)*

femme comme Miss Hart. Pourquoi ne pas lui avoir laissé sa petite part d'illusion réconfortante — si illusion il y avait — au lieu de la lui arracher de si brutale façon ? Et cet acte malheureux avait son contre-coup sur Viola : celle-ci, ayant souvent vu Harold Clegg aux *Pins*, avait été impressionnée par sa *clairvoyance* ; aussi pencherait-elle à croire ce qu'il avait si imprudemment affirmé.

Mes craintes ne se confirmèrent que trop. Une fois Miss Hart partie, Viola me dit tristement : « Je crains qu'il n'y ait pas d'espoir non plus, de ce côté-là... Je l'ai cru un moment ; mais si Harold n'avait pas dit juste, au sujet de Chris, il l'aurait lui-même *vue*, sans avoir besoin du médium. »

« Pas nécessairement, repartis-je ; Chris l'aimait bien, mais il n'y avait pas entre eux deux de lien véritable. Il est bien plus vraisemblable qu'elle apparaît aux personnes qui ont réellement *besoin* d'elle, plutôt qu'à un type de ce genre-là... qui l'expédie jusqu'à Vénus ou dans les Pléïades ! Quelles balivernes ! »

Viola sourit mélancoliquement. « Miss Hart désire que j'aille trouver son médium. Elle semble croire que je pourrais décider s'il s'agit vraiment de Chris ou non. Je lui ai dit que j'étais devenue, hélas, plus « aveugle » qu'une taupe ; mais... »

« Si cela peut rendre la petite Hart un peu plus heureuse, j'y irais, à ta place. »

Et je finis par me joindre aussi à elles.

* * *

Une étrange petite chambre, dans une rue plutôt sordide. Le médium — une femme — n'a rien d'excentrique, à part le fait qu'elle a choisi de s'appeler *Euphonia*. Elle ne nous sert aucun tour de passe-passe, aucune mise en scène pseudoocculte. Elle possède les facultés particulières au médium et elle est disposée à nous aider de son mieux.

Après quelques minutes de relaxation dans un fauteuil, nous la voyons passer par une série de contorsions ; puis, soudain, elle s'assied très droite en se frottant les mains avec une vive satisfaction. *Snowflake*, le « contrôle » du médium, commence à se manifester. C'est une fillette hindoue, ainsi qu'elle nous l'apprendra plus tard elle-même.

Cette *Snowflake* est délicieuse, pleine de drôlerie et de tournures de phrases originales. Elle s'adresse à moi en m'appelant « *Mr. Man* » (« Monsieur l'Homme ») tandis qu'elle gratifie indifféremment Miss Hart et Viola du titre de *Lady*.

« Oh ! dit-elle, se tournant vers ma femme, jolies couleurs autour de votre Mr. Man : ça n'est pas une âme au rabais ! Non, non... très aimé dans l'autre monde... A fait une grande œuvre, hors de son corps (dans le monde invisible). Le connaissons depuis longtemps... est en rapport avec de très grands Maîtres !... A côté de lui, moi pauvre petit ver... »

« Allons, allons, la grondai-je, cherchez-vous à me faire rougir, ou quoi ? »

Elle éclata de rire : « Ah ! ah ! si vous aviez peau brune comme la mienne, ne pourriez pas rougir ! » Puis, tout à coup, redevenue sérieuse : « Oh, *Lady* aussi, belle aura... mais quelle tristesse — a bien souffert... donne envie de pleurer. L'autre lady aussi, si triste, si triste... *Snowflake* voit, devant elle, amie très chère... cheveux blancs, robe bleue, sourire ravissant... passée sur *notre* plan. A laissé beaucoup de tristesse... derrière elle, mais n'importe... » et se frottant les mains : « Moi et *Meedie* (médium) voyons bien ce que nous pouvons faire... » Le médium se tait, s'agite pendant quelques instants, puis : « Belle petite dame est *ici*, maintenant ; dit qu'elle veut essayer de « contrôler » le médium. Mais (elle hoche la tête) très difficile, très difficile... petite dame a très grande âme... vibrations trop rapides pour pauvre petit médium... Nous essayerons, nous tâcherons... aide-la, toi, *Snowflake*... »

Le médium retomba en arrière dans son fauteuil, et demeura un moment immobile.

Puis de nouveau, il se redresse, sans contorsions cette fois ; mais son cœur bat si rapidement que je puis l'entendre de ma place. Chris — si c'est réellement Chris — tend les bras dans un geste tout pareil à celui qui lui était coutumier, donne l'une de ses mains à Viola, l'autre à Miss Hart. J'entends ma femme respirer fortement... Alors une voix faible et lointaine — qui n'est ni celle de *Snowflake* ni celle du médium — prononce : « Eh bien ! nous revoilà ensemble... » Viola eut un léger soubresaut : Chris n'eût jamais usé de ce ton-là ! « Vous pensiez que je vous avais tout bonnement lâchés ?... (autre expression que Chris n'eût certes pas employée). Mais je n'aurais pu faire cela ; vous avez besoin de moi, ainsi j'ai essayé de venir... Cela rappelle les vieux temps, n'est-ce pas ? »

« Chris chérie, êtes-vous heureuse ? » dit Miss Hart, s'efforçant de contenir son émotion.

« Comme ci, comme ça, répond-elle, avec un pâle sourire. Je le serais..., s'ils n'étaient pas tous *si* tristes... »

« Vous pensez à vos protégés ? » fit doucement Viola.

Le médium eut comme un frisson. « Horrible gâchis que tout cela ! »

Viola frémit encore tandis que, pour ma part, je me rendais compte que cette expression se référait à l'état pitoyable des différentes *auras* de ceux qui pleuraient sa mort.

« Je dois m'en aller... fit brusquement Chris. Le pouvoir s'en va... » Elle saisit ma main et la serra. « Cher ami, murmurat-elle, je n'ai pas eu le temps de vous parler... » Le médium retomba en arrière.

Viola rentra de cette séance déprimée et épuisée. Du point de vue émotionnel (surtout au moment où Chris était apparue pour prendre le contrôle), elle avait été convaincue ; mais, intellectuellement parlant, elle éprouvait de la répugnance pour ce qui lui semblait un vulgaire travestissement de la personnalité de notre amie.

« Ces affreuses manières de s'exprimer... » rappelait-elle. Toutefois, mue par l'espoir d'obtenir de meilleurs résultats, elle retourna plusieurs fois chez le médium. Elle ressentait toujours autour d'elle la présence d'un amour puissant et pénétrant... mais, quand celui-ci venait à s'exprimer dans la bizarre phraséologie de *Snowflake* ou du médium, l'effet produit était choquant.

« C'est un supplice de Tantale, confessait Violette. C'est Chris, et ce n'est pas Chris... Chris tout enveloppée de la personnalité du médium... »

Nous n'obtînmes jamais rien d'entièrement convaincant, d'« illuminant », qui évoquât de façon nette la vie et les activités de notre amie sur d'autres plans ; en fait, loin de refléter l'impression de la joie et de la beauté qui y règnent, Chris semblait plutôt submergée par le tragique et la sombre tristesse des conditions terrestres avec lesquelles elle était forcément mise en contact, lorsqu'elle faisait le sacrifice de descendre dans des régions de matière plus dense, pour contrôler le médium. Que ce fût un réel sacrifice, Viola s'en rendit compte peu à peu. Bien que Chris fît apparemment d'héroïques efforts pour maintenir le lien qu'elle avait établi, à cause et pour l'amour de ses amis désolés, elle semblait de moins en moins elle-même — comme si son vrai moi reculait peu à peu dans la distance... jusqu'à ce que Viola, sentant qu'il n'était plus justifié de l'attirer hors de sphères où, sans nul doute, tout était joie, en arrivât graduellement à renoncer à ces séances.

Quelque temps après, néanmoins, Euphonia appela ma femme au téléphone et la supplia d'aller la voir ; selon ses propres termes, elle était « nettement contre tout ça... » Dans plusieurs cas, où elle avait eu le sincère désir d'aider quelqu'un, elle (ou *Snowflake* à travers elle) avait misérablement échoué. Des guides de bonne volonté n'avaient fait qu'accroître la confusion ; des prophéties faites par elle ne s'étaient pas réalisées. La pauvre Euphonia, nature essentiellement véridique, était dans un état voisin du désespoir. Ne serait-elle donc rien de plus qu'une inconsciente et involontaire fraudeuse ? Ignorante de ce que sa bouche articulait lorsque *Snowflake* la contrôlait, elle se sentait malgré tout responsable de ce qui avait « passé par ses lèvres » et si son pouvoir, bien que réel, n'était utilisé que pour des tricheries et n'aboutissait qu'à déprimer les gens... Bref, Viola, l'une de ses plus sympathiques clientes, voudrait-elle lui accorder la faveur d'avoir une séance avec elle ? Pas question de payer, bien sûr (bien que la pauvre Euphonia avouât être « à sec »). Tout ce qu'elle implorait, c'était cette occasion de mettre à l'épreuve ses pouvoirs, dans l'idée de se rassurer elle-même en constatant qu'*ils* ne l'avaient pas complètement quittée. « Si *Snowflake* ne peut pas faire quelque chose pour *vous*, ajoutait le médium, c'est qu'alors elle ne peut plus rien faire pour qui que ce soit... et je puis aussi bien fermer boutique immédiatement. »

Viola consentit sans trop d'hésitation à se rendre chez elle. « Je puis bien m'imaginer quel enfer la pauvre créature traverse », me dit-elle.

« Puisque tu y vas dans un esprit pur de tout égoïsme, tu obtiendras peut-être quelque message qui en vaudra vraiment la peine ! » lui dis-je, en manière de plaisanterie.

Elle haussa les épaules en riant. « J'ai abandonné tout

espoir. Mais je ne puis laisser Euphonia dans cette détresse ;
elle a fait tout ce qui était en son pouvoir pour moi. »

Soudain, j'eus une inspiration. Pourquoi ne pas convier
à cette séance quelqu'un qui fût un *voyant* ? Il y avait Harold
Clegg... Quoique ses affirmations ne fussent pas toujours bien
fondées, il possédait un assez grand don de clairvoyance pour
venir en aide à la pauvre femme dans sa détresse. Et puis,
pourquoi ne pas organiser cette séance dans l'atmosphère,
plus congéniale de notre propre demeure, en demandant peut-
être à Lyall Herbert de se joindre à nous et d'« endormir »
le médium avec un peu de musique ?...

* *
*

Lyall Herbert avait joué L'*Enchantement du Vendredi Saint*
de *Parsifal* ; le médium était entré en transes et *Snowflake*
avait pris le contrôle.

« Oh ! commença-t-elle, en se frottant les mains comme
d'habitude, délicieuse musique, dans cette maison... pas peur,
ici... et trois hommes... cela me paraît beaucoup ! » Puis elle
se met à gémir : « Oh ! ma pauvre *Meedie*, très, très triste...
a reçu une tuile sur la tête... moi j'ai dit choses fausses à
Lady et « Mr. Man », que *Meedie* connaît — et eux très fâchés...
Nous *voulions* dire la vérité, mais pas facile, quelquefois...
Tant de poussière astrale... tout obscur... impossible de distinguer... et des guides m'ont fait faire *exprès* des erreurs
— pour aider à l'évolution de Lady et Mr. Man... Dites au
médium qu'il n'y aura plus d'erreurs... plus besoin de se tourmenter ! »

Je lui demandai alors — comme Viola l'avait souvent fait
dans des séances antérieures — si elle pouvait donner des
nouvelles de J. Moreward Haig. Avait-il réellement été tué ?

Sinon, pourquoi avait-il disparu ? Mais elle se borna à secouer la tête et déclara que « même de leur côté » il n'était pas permis de tout savoir. Puis elle nous informa, dans son langage original, que les vibrations très élevées produites par la musique d'Herbert avaient rendu possible à « la petite dame bleue », comme elle nommait Chris, de venir à nous pour un bref moment. Malgré la pénombre j'observai, sur la figure d'Herbert, un plaisir dépouillé de tout égoïsme, et sur celle de Viola, un mélange de joie et d'ardent espoir. Mais bien que Chris, lorsqu'elle eut repris le contrôle, semblât irradier l'amour, sa voix si faible n'était guère qu'un chuchotement essoufflé.

« Je ne vous parlerai pas toujours par ce médium, dit-elle. Je cherche... et cherche partout... quelqu'un d'autre... qui serait un lien entre nous... je suis venue vous dire... » Déjà la voix s'éteignait.

« Eh bien, qu'en pensez-vous ? » demandons-nous à Clegg, une fois que le médium est parti.

« *Snowflake* a certainement raison, répliqua-t-il ; les conditions astrales sont si troublées, ces jours-ci, qu'elles rendent tout travail psychique extrêmement difficile. Je parie qu'un grand nombre d'autres médiums de la catégorie d'Euphonia doivent se trouver dans le même embarras. »

« Pourtant, je crois que nous avons trouvé moyen de lui rendre un peu le respect d'elle-même en lui transmettant le message de *Snowflake* », dit Viola.

« Elle avait l'air bien plus heureuse en partant qu'en arrivant », remarqua Herbert, et nous en tombâmes d'accord.

Pendant qu'Herbert jouait du piano, Harold Clegg continuait à nous faire part de ses impressions. « J'ai vu l'amusante petite fille indienne rôder autour du médium... Puis, subitement, pouf ! elle a disparu juste au milieu de son cœur, comme une colonne de fumée aspirée par une cheminée. »

« Mais que dites-vous de Chris ? » demanda anxieusement Viola.

« Je l'ai *vue* apparaître pendant le discours de *Snowflake*... Oh ! c'était tout à fait Mrs. Portman (Clegg ne l'avait jamais appelée pa son prénom) ; elle se trouvait à une petite distance de la mur. lle. »

« Je cr yais, commençai-je, que vous aviez assuré qu'elle était dans une sphère si élevée... » Mais Viola me fit signe de ne pas l'interrompre. « Lorsque la petite Indienne s'est retirée, Mrs. P. a essayé de contrôler l'aura du médium et d'imprimer ses pensées sur elle, en quelque sorte ; mais, à aucun moment elle n'a pu prendre l'entier contrôle de son corps, comme le fait *Snowflake*. Je ne pense pas qu'elle y parvienne ; elle semblait déjà trouver très pénible de faire ce qu'elle a fait, et a dû être aidée par *Snowflake*. Toute l'affaire était une sorte de mixture de Mrs. Portman, du médium et de son petit guide. »

« C'est exactement ce que j'ai toujours ressenti, s'écria Viola ; une atmosphère où l'on sent toute la merveilleuse affection de Chris..., et puis, quand elle essaye de la traduire en mots... »

« C'est comme si l'on tentait de jouer du piano avec des gants très épais sur les mains... » suggéra Lyall en passant ses longs doigts minces sur un côté de son sensitif visage à la Chopin — un petit geste qui lui était familier.

« Voilà la juste comparaison que je n'ai pas su trouver ! » dit Viola.

« Je trouve toujours si regrettable, observa Clegg, que les médiums ne soient pas plus entreprenants ; ils ont ce don, mais ils ne songent pas à étudier scientifiquement l'occultisme. Cette bonne femme ignore, en somme, ce qui se passe réellement. »

« Et vous-même n'étiez pas tout à fait dans vos moyens,

l'autre jour, mon vieux.. (J'étais décidé à placer mon petit mot.) *Qui* prétendait donc que Chris était montée dans des régions si inaccessibles, que toute communication avec nous lui était impossible ? »

Il rit, en manière d'excuse... « J'usais de mon cerveau, au lieu d'employer mes facultés psychiques. »

« Le cerveau peut grandement fausser les choses », remarqua sèchement Herbert.

« Vous avez presque brisé le cœur de Miss Hart », dis-je, sans nullement viser à faire un calembour [1]. Mais Clegg, fort peu psychologue, ne saisit pas le pourquoi de cette remarque.

« C'est l'ennui, avec les gens qui sont des *voyants* ; ils ne peuvent se mettre à la place de ceux qui ne le sont pas », remarqua Viola quand il fut parti. Puis, d'un ton pensif : « Je me demande ce que pourra bien être ce nouveau lien que Chris dit vouloir établir entre nous... »

---

[1] Le cœur de Miss Hart : en anglais *Miss Hart's Heart*. *(Note de la traductrice.)*

CHAPITRE IV

LE SON D'UNE VOIX QUI S'EST TUE

Mais j'ai anticipé sur la suite des événements. Le jour où je reçus l'importante missive d'Arkwright, je téléphonai à Toni Bland et à Lyall Herbert, les priant de venir me trouver. Je sentais de mon devoir de les informer de ce qu'on m'écrivait, au cas où ils n'auraient pas été prévenus eux-mêmes par un autre chéla.

Lyall Herbert fut visiblement très affecté quand je lui lus la lettre d'Arkwright. Toni, au contraire, après le choc momentané, ferma à demi les yeux selon sa coutume, et chercha tout de suite à nous rassurer.

« Après tout, dit-il pensivement, un Maître demeure un Maître, qu'il perde temporairement son corps physique ou non. »

« Mais un Maître ne va pas se faire tuer ainsi dans une catastrophe ! objecta Lyall. C'est chose bien différente de se sacrifier volontairement pour une grande cause, ou de perdre, dans un vulgaire accident de chemin de fer, un corps physique en parfait état. »

« N'allez-vous pas tout de suite au pire, avant même que nous sachions si la nouvelle est exacte ? » questionna Toni.

« Je ne sais vraiment qu'en penser, déclarai-je, tout cela me consterne... En lisant cette lettre, je ne crains pas de dire que ma première réaction a été de me laisser aller au doute. »

« Doute de quoi ? » reprit Toni.

« Eh bien... je me demandais si Moreward Haig était bien ce que nous avons cru qu'il était. »

« J'éprouve un peu la même impression, dit Lyall, bien que j'aie quelque honte à l'avouer. »

Toni sourit. « Tout ceci ne pourrait-il pas être en rapport avec les Cycles ? » suggéra-t-il.

Comme nous ne le suivions pas très bien, il expliqua : « Vous rappelez-vous l'Adepte nommé le Comte de Saint-Germain, qui vécut avant la Révolution ? »

Je fis un signe de tête affirmatif.

« Après avoir travaillé à Paris, où il fréquenta même la haute société — comme, à un moment donné, Moreward Haig le faisait à Londres — n'a-t-il pas aussi disparu mystérieusement ? »

« C'est exact », concéda Herbert.

« Mais *pourquoi* ? reprit Toni. J'ai, moi, l'idée que c'est parce que les Adeptes travaillent selon un rythme cyclique, et que lorsqu'un Cycle particulier touche à sa fin, il leur faut transformer leurs modes d'action et opérer toutes sortes de réajustements. »

Toni rouvrit les yeux et me regarda. « N'était-ce pas aux environs de 1908 que J. M. H. a disparu de Londres ? »

« Approximativement », répondis-je.

« Et ce n'est que *douze ans* plus tard que nous le voyons reparaître en Amérique... Je suis arrivé à Boston quelques mois après que vous l'avez quitté, Broadbent. J. M. H. vous a-t-il jamais dit ce qu'il avait fait durant ce laps de temps intermédiaire ? »

« Il ne l'a certainement jamais dit à *moi*, répliquai-je. Il était fort bien installé à Boston, avec son cercle de chélas, lorsque j'y suis arrivé ; mais depuis combien de temps?... Il ne m'en a jamais soufflé mot. »

« Enfin, peut-on s'attendre à ce qu'il reparaisse jamais ? demanda Lyall. C'est la seule chose qui m'occupe, moi ! J'ai réussi, en ces durs temps, à épargner la somme voulue pour retourner séjourner auprès de lui à Boston, et maintenant...» Il s'interrompit et je devinai ce qu'il ressentait.

« Mais vous l'a-t-il jamais suggéré ? » questionna Toni avec un sourire.

« Non... maintenant que j'y pense, il ne me l'a jamais demandé. »

Toni hocha la tête. « C'est une chose dangereuse que de faire des plans de ce genre, en ce qui concerne un Gourou. Lorsque Moreward Haig m'écrivit pour m'inviter à venir à Boston, en spécifiant la date exacte où je serais attendu, dans mon ardeur et ma joie je télégraphiai, demandant si je pouvais arriver un peu plus tôt. La réponse fut un *non* bref et sans équivoque, que ne suivit aucune explication. Lorsque j'arrivai là-bas, il m'adressa même un reproche pour lui avoir envoyé ce télégramme. Depuis lors, j'ai appris ma leçon...»

« Et avec tout cela, dis-je, remarquez que je reçois continuellement des lettres d'inconnus me priant d'arranger, pour eux, des entrevues avec le Maître, alors que ses propres élèves ne sauraient le voir une minute plus tôt qu'il ne l'a décidé ! Je me suis risqué, une fois, à lui envoyer la lettre d'une correspondante particulièrement opiniâtre, et il m'a répondu : « Mon fils, je vous aurais cru suffisamment intelligent pour vous rendre compte que je ne puis être d'aucun secours à une femme aussi pleine de sa propre importance...» La réponse était cinglante, mais juste. »

« Et maintenant, personne ne saurait plus l'importuner ! fit Lyall, avec quelque amertume. Je dois dire que je trouve ce procédé très dur à l'endroit de ses élèves. S'il n'a pas été tué, il pourrait du moins en démentir le bruit au lieu de laisser chacun souffrir ainsi. Etrange attitude, pour un Adepte ! »

« Etrange ou non, déclara fermement Toni Bland, comme s'il se parlait à lui-même, il y a une chose que nous ne devons certainement *pas* faire : c'est de laisser toutes ces hypothèses nous pousser vers un état de suspicion qui nous nuit et nous isole. Mort ou vivant, J. M. H. ne s'éloigne jamais de nous *spirituellement* ; mais nous nous écarterons de lui si nous en venons à perdre la foi dès qu'il fait une chose que nous ne saurions nous expliquer. Rappelons-nous que le doute élève une barrière que même un Maître n'est pas libre ou pas capable d'abattre. »

Après cette déclaration, je pris plus ou moins tacitement la résolution de demeurer, quoiqu'il pût arriver, fidèle à mon Gourou, et je crois qu'Herbert prit la même décision. Quant à Toni, la question du doute ne semblait pas se poser pour lui, à en juger du moins par son attitude extérieure. Bien que j'eusse appris à l'aimer et à l'admirer, il y avait toujours encore en lui quelque chose qui me déroutait... Quoiqu'il en soit, le choc que nous avions tous les trois éprouvé — et seuls ceux qui ont été en contact personnel avec un Gourou peuvent comprendre ce qu'une telle perte implique — avait eu pour effet de nous rapprocher les uns des autres ; de façon spontanée, nous nous rencontrions de plus en plus fréquemment pour parler de celui qui avait occupé une si grande place dans notre existence.

* * *

Plusieurs semaines avaient passé et Arkwright, le joyeux chéla américain dont j'ai parlé dans le second volume de *L'Initié*, était arrivé en Angleterre et séjournait sous notre toit. Naturellement, l'une des premières questions que je lui posai se rapportait à J. M. H. En avait-on la moindre nouvelle ?

« Silence total », me fut-il répondu.

« Est-ce que vous, personnellement, pensez toujours qu'il a été tué ? »

« A certains moments oui, à d'autres non. Ce qui est le plus étrange, c'est que l'on n'arrive pas à savoir quoi que ce soit du type qui a été mis en pièces dans l'accident ; pas un parent, pas un ami ne s'est présenté pour identifier le corps... Le Dr Morton a fait toutes les enquêtes et recherches imaginables. »

Je demandai ensuite comment les divers chélas avaient pris cette disparition.

« Quelques-uns ont montré quelle chic nature ils avaient, dit-il généreusement ; précisément parce que le Maître n'était plus là, ils se sont mis énergiquement à l'œuvre et ont fait un vrai pas en avant. D'autres... il haussa les épaules. Ce qu'il y a de regrettable chez nous, aux Etats-Unis, c'est que nous soyons si férus de ce qu'on nomme des « personnalités ». Survient-il quelque individu ayant pour dix centimes de magnétisme et une étiquette neuve, nous lui courons aussitôt après comme un troupeau de chèvres après une poignée de gros sel... Je soupçonne fortement Moreward Haig d'avoir avisé Heddon qu'il aurait à reprendre en mains le travail, après son départ. Mais, comme il n'a pas la personnalité voulue pour cela, quelques-uns des chélas, spécialement des femmes, se refusent à entrer dans la combinaison... *Zut!* Mais, comme vous le savez, J. M. H. nous a donné un enseignement assez riche pour nous guider une vie entière, si nous voulons véritablement le mettre en pratique. Cependant l'idée de garder un local commun, comme centre d'étude et de mutuel encouragement, n'a pas eu l'heur de plaire à chacun, et ainsi notre nombre a déjà décru. »

Il se tut un instant pour allumer sa cigarette.

« Une ou deux des élèves-femmes se sont tournées vers l'enseignement du Védanta donné par des hommes qui se sont eux-mêmes sacrés Swamis ; d'autres ont poussé jusqu'en Californie pour voir si le frère Krishnamurti aurait quelque chose à leur donner. Je ne sais si tu as entendu parler de lui ou non ? »

Mais ici, mon petit garçon fit une brusque irruption dans la chambre... et, un instant plus tard, Arkwright s'amusait avec l'impétuosité d'un écolier en vacances.

* * *

Je n'ai jamais compris pourquoi Mrs. Saxton croyait de son devoir d'apparaître chez nous de temps à autre, à moins qu'elle n'y fût poussée par un irrésistible complexe d'autoritarisme, lequel s'exerçait, hélas, aux dépens de ma malheureuse femme ! Toutefois, en l'occasion dont je parle, elle était venue avec un objectif plus précis que celui de nous faire bénéficier de la supériorité de ses vues personnelles.

« Pas un temps très agréable, aujourd'hui », dit-elle, avec beaucoup d'originalité, à Arkwright en lui serrant la main .

« N'est-ce pas le climat bien connu de votre pays, répliqua-t-il gaiement ; ainsi donc, j'ai le temps auquel je m'étais attendu ! »

Mrs. Saxton fit une mine qui signifiait que, comme la Reine Victoria « elle ne trouvait pas ça drôle [1] ». Mais elle n'ajouta rien.

---

[1] Allusion, croyons-nous, à une observation spirituelle, mais osée, de Disraëli à la Reine — laquelle repartit : « *I am not amused.* » *(Note de la traductrice.)*

Dans le désir d'alléger l'atmosphère, je fis remarquer que Mrs. Saxton portait un grand intérêt à la philosophie.

« Ah! c'est parfait! s'exclama Arkwright. Nous en avons grand besoin, en un temps où la religion tombe en poussière, où nos jeunes filles se noient dans l'alcool et dorment chaque nuit avec un autre olibrius, où ce vieil univers tout entier n'est plus qu'un infernal chaos ! »

Il regarda Mrs. Saxton avec une expression si cordiale et si désarmante que si elle eût été moins dure et moins scandalisable, il lui eût gagné le cœur immédiatement.

« Je vois, fis-je en riant, que le déplorable état du monde n'a pas encore éteint ton enthousiasme ni ta gaieté. »

« Oui, j'avoue que je suis toujours le même drôle de vieux *zicot* ! »

« Le vrai motif pour lequel je suis ici, dit Mrs. Saxton, se tournant majestueusement vers Viola, était de vous offrir un billet pour la conférence de Krishnamurti, qui a lieu demain soir. Je l'ai acheté, il y a plusieurs semaines pour Miss Hart, pensant que cela lui ferait grand bien, si la pauvre était capable de saisir... Mais, maintenant — c'est fort ennuyeux ! — elle a trouvé moyen de prendre une bronchite. »

« Oh! que c'est dommage! » s'exclama Viola avec sympathie. Mais Mrs. Saxton semblait juger ce contre-temps plus scandaleux que regrettable. Ainsi, pensais-je en moi-même, c'est à Viola qu'elle veut « faire du bien » à la place de Miss Hart...

« Vous userez naturellement de ce billet ! » insista Mrs. Saxton, considérant que ma femme devait se juger fort heureuse, de la chance s'offrant ainsi à elle d'être délivrée par Krishnamurti des superstitions dans lesquelles elle croupissait !

« Avec le plus grand plaisir ! acquiesça Viola. J'ai lu, parfois, sa drôle de petite revue jaune, mais je ne l'ai encore jamais entendu parler. »

« Cela transformera du tout au tout votre manière de voir », l'informa sévèrement Mrs. Saxton.

« Tiens, tiens ! Krishnamurti est ici, dit Arkwright, c'est cette sorte de type qui... »

« Cette sorte de *type* ! interrompit Mrs. Saxton, bouillante d'indignation. Il a le plus beau visage du monde... »

En vain lui expliquai-je qu'en Amérique, le terme de *guy* employé par Arkwright n'a pas la signification d'un mannequin ni d'une effigie [1], elle ne sembla pas me croire du tout. Arkwright rit franchement de sa bévue et l'assura qu'il n'avait pas eu la moindre intention de froisser ses susceptibilités.

« C'est un homme remarquable, ajouta-t-il avec une sincère admiration. Je l'ai entendu discourir en Amérique. Philosophie orientale sous un vêtement occidental. Comme vous dites, un fort beau visage ! Mais il a une tendance à se répéter... et lorsqu'un type se répète par *trop*, cela vous va un peu sur les nerfs. »

Ces derniers mots achevèrent Mrs. Saxton... qui exécuta une hâtive retraite !

« Je sens que si jamais elle me revoit, ce sera un peu trop tôt... » fit Arkwright en riant doucement, lorsqu'elle eut quitté la pièce.

Mais je l'assurai que les mêmes chocs s'étaient produits entre elle et Toni Bland — et bien d'autres encore.

« Elle semble regarder toute espèce de contact humain comme un obstacle à la libération de l'âme », conclut ma femme.

---

[1] Le mot *guy* désigne, en Angleterre, un mannequin de paille représentant *Guy Fawkes*, chef de la Conspiration des Poudres, mort sur le bûcher en 1605. Chaque 5 novembre, on brûlait jadis, un « Guy Fawkes » en mémoire de cet événement. Les Américains, sans souci de son origine, emploient ce mot pour désigner un « drôle de type ». (*Note de la traductrice.*)

STAR BULLETIN

Septembre 1931.

Oh! Krishna ! Vous nous avez tous amenés à croire, en 1926, que nous cherchions le Bonheur ; en 1927 la Libération individuelle ; en 1928 la Vérité, et en 1929 l'« Unicité ». En 1930, vous avez pulvérisé toutes nos croyances : en la Réincarnation, les Maîtres, les Sauveurs — et, maintenant, vous parlez de la disparition du « Je », de l'Ego ; d'un état dans lequel il n'existe ni naissance, ni mort, d'une vie qui semble avoir une signification pour vous, non pour nous. Néanmoins, vous parlez d'un achèvement, d'une Réalisation, d'un Sommet. Votre propre Réalisation a-t-elle donc un caractère progressif en ce sens que vous avez beaucoup à dire, et qu'ainsi votre message passera de l'état d'inachèvement à l'état de perfection ?

CHAPITRE V

LE PROBLÈME DE *KRISHNAMURTI*

Viola s'était rendue à la conférence de Krishnamurti, ce qui fait que nous ne formions plus qu'un quatuor masculin : Toni Bland, Lyall Herbert, Arkwright et moi-même. Nous nous étions attardés autour de la table du dîner, puis, une fois passés au salon, avions prié Lyall de nous jouer un peu de Scriabine. Il venait de quitter le piano lorsque Viola entra.

Nous étions naturellement curieux de savoir ce qu'elle pensait de la conférence ; je lui demandai, en plaisantant, si elle avait été touchée de la grâce et était devenue une dévote de Krishnamurti.

« Non, je ne suis qu'une auditrice intéressée, dit-elle en riant. Les « dévotes » me semblent être celles qui aspirent à être une « mère » pour lui, ou bien celles qui — amoureuses de ses beaux sourcils et de sa prestance élégante et raffinée — aspirent à être quelque chose de tout autre... Il y a encore la multitude irrésolue, essayant, en dépit de capacités mentales inadéquates, de réagir contre le caractère négatif de son enseignement. »

« Le trouvez-vous vraiment si négatif ? » demanda Lyall.

« Moi ? Je le trouve tout simplement l'Apôtre de la Néga-
tion, répliqua-t-elle, juste comme Chris était l'Apôtre de la
Joie... Et puis, il est tellement contradictoire : il déclare que
chacun doit penser par soi-même — idée jusqu'à un certain
point très belle — et puis il barre toutes les avenues de la
pensée individuelle... Il nous affirme que nous ne pouvons pas
atteindre le But par la contemplation, l'art, la beauté, par l'aide
des Maîtres ou des rites religieux. Et pourquoi au monde
pas ? — Krishnamurti peut n'avoir lui-même besoin d'aucune
de ces choses, mais que sait-il des autres ? Et si *eux* choisissent
de chercher Dieu à travers la beauté, l'art ou quoi que ce soit
d'autre ?... Allons donc ! toutes ces vieilles religions et philo-
sophies — que, soit dit en passant, il semble n'avoir pas
étudiées, à moins qu'il ne les ait jetées au panier avec le reste
— et tous les Maîtres, de temps immémorial, ont fait entendre
que, par quelque voie que l'Homme s'efforce d'atteindre Dieu,
il parvient toujours à Lui ! Krishnamurti non seulement détruit
le Sentier, ou les Sentiers, mais il renie encore le But lui-même.
Et surtout l'on ne doit pas, selon lui, user du mot de *Dieu*...
La suprême Réalité de Krishnamurti n'est qu'une nébuleuse
abstraction nommée parfois « Vie », parfois « Vérité », mais
ne vous apportant jamais la moindre sensation de joie ou de
ravissement. »

« C'est que vous, aimables dames, fit Arkwright en souriant,
n'avez jamais été très passionnées d'abstraction ; c'est là un
aspect de votre psychologie... Ce qu'il vous faut, c'est un gentil
Bon Dieu, très paternel, assis sur un gros nuage doré et qui
inlassablement distribue, dès que vous criez à lui, d'onctueux
et suaves encouragements. »

« Ce n'est pas du tout ce dont j'ai besoin ! fit-elle en riant.
Mais vous devez admettre ceci : que l'on soit *dualiste*, et
conçoive en dehors et au-delà de soi un Dieu, auquel on aspire

et que l'on adore, ou que l'on soit *moniste* et cherche à se réaliser soi-même en tant que Moi Unique, la raison, et encore bien davantage le *cœur*, demandent un But qui soit pour le moins attractif! Peut-être pensez-vous que c'est faiblesse et lâcheté que de ne pas vouloir se tenir debout sur une cime montagneuse, sans nulle sauvegarde, au milieu d'une tempête de vent glacé, à contempler le Vide. Mais, moi, je me demande l'utilité d'un tel stoïcisme ? Si cette Perfection de Krishnamurti est, dans son idée, synonyme de «Bonheur», quel pâle et chétif bonheur à côté de la *joie* dont Chris parlait, et qu'elle a vécue ! Elle ne rabaissait pas Dieu à des proportions humaines : elle le plaçait au-delà des plus extrêmes limites de la pensée, mais pour mieux démontrer que toute beauté, tout mystère, tout merveilleux ne sont que des lueurs passagères, des reflets de cette Réalité trop éblouissante pour être contemplée sans voiles... Le Maître qui parlait à travers Chris révélait un Dieu qui est l'essence même de l'Amour (auquel, consciemment ou non, tout être humain aspire profondément) et dont la lumière rayonne sur chacun, selon ses besoins particuliers. Ce Maître disait : « *L'intelligence humaine ne saurait pas davantage concevoir l'Absolu que l'insecte rampant sur le sol ne saurait comprendre un Maître, mais ce que vous devez savoir, c'est qu'Il est tout Amour... et que l'Amour est la raison d'être de l'univers, la raison de votre propre existence !* »

« Pourtant Krishnamurti ne dénie pas l'Amour, objectai-je ; il fut un temps où il en parlait sans cesse. »

« Il fut un temps, peut-être... mais ce n'est plus le cas ; et même, s'il lui arrive de le faire, l'amour dont il parle m'apparaît comme quelque chose d'impersonnel et de vague qui a presque peur de s'affirmer... Quelle impression différente, lorsqu'on entendait parler le Maître Kout Houmi ! « *L'amour que je ressens pour chacun de vous,* disait-il, *c'est là Dieu...* »

Et encore : « *Amour et Vérité sont la base fondamentale de l'univers. Amour et Vérité, Vérité et Amour...* » Cela ne ressemble guère à Krishnamurti : « *La Vérité ne saurait apporter aucun réconfort...* » Comment faut-il concilier ces deux points de vue ? »

« Le désirez-vous particulièrement ? » demanda Lyall.

« Pas *moi* personnellement. Cinquante Krishnamurti ne sauraient détruire en moi l'idée des « Maîtres » que nous a donnée Chris, et auparavant J. Moreward Haig... Seulement je pense aux pauvres gens qui ont été formés dans les mêmes idées, peut-être, mais qui n'ont pas, pour « tenir », notre ténacité de bouledogues. Comme à nous, on leur a dit que les Maîtres sont leurs Frères Aînés, qui s'efforcent tendrement de les guider vers « l'union avec l'Infini sur des plans de plus en plus élevés » — ainsi que l'écrit quelque part le vieux Lead-beater. Et voici Krishnamurti qui vient les assurer que les Maîtres ne sont autre chose que des béquilles ; ils jettent donc loin leurs béquilles, font quelques pas en chancelant, et s'écroulent sur le sol. Leur offre-t-il des ailes, à la place de ces béquilles, ou leur montre-t-il du moins comment les faire croître ? Aucunement ! Il n'est pas assez psychologue pour les guider vers le chemin qui est le leur ; il prescrit à tous la même recette : *Ce que j'ai fait, vous pouvez le faire*, sans tenir compte des limitations individuelles créées par le Karma et le degré d'évolution, différents pour chacun. Chris, elle, savait que l'on ne peut jamais traiter deux êtres de la même façon ; c'était le secret de son succès avec n'importe quel individu : elle ne distribuait pas indistinctement l'huile de ricin à toute la classe ! »

Nous ne pûmes nous empêcher de rire. Mais Viola, qui arpentait la chambre de son pas allongé d'adolescent, était pleine de la sympathie indignée que cette conférence avait éveillée en elle.

« Vous avez beau jeu de rire, vous autres... Je suppose qu'il est *bon* de forcer les gens à agir et penser par eux-mêmes, poursuivit-elle. Mais combien de ceux qui ont écouté si long-temps la voix de l'Autorité — représentée par la Société Théosophique — sont-ils capables de réflexion individuelle ou ont-ils assez de discernement pour savoir « séparer l'ivraie du bon grain » dans l'enseignement de Krishnamurti ? Vous auriez dû voir l'expression de quelques-uns de ces visages, tandis qu'ils s'efforçaient, avec tant de conscience et de peine, de suivre le Maître du Monde jusqu'à ses glorieuses et austères altitudes ! Ils finissaient par se dire — du moins s'ils étaient sincères avec eux-mêmes — qu'il n'y avait, dans tout cela, nulle perspective de gloire pour *eux*, mais seulement un grand vide! A leur regard consterné, vous pouviez deviner l'enfer par lequel ils passaient ; et cela se lisait tout spécialement dans les yeux des femmes. Il leur a tout enlevé : réincarnation, survivance des âmes, revoir avec les siens dans l'Au-Delà, aide et compassion des Maîtres, enfin quoi, toute la structure spirituelle de leur vie ; et il ne leur a rien donné en retour, si ce n'est un état de conscience nébuleux, qui ne fait pas le moindre appel au cœur et à l'imagination. »

« Je ne suis pas entièrement d'accord... » commençai-je ; mais elle m'ignora et continua à défendre ceux qu'elle considérait évidemment comme des martyrs.

« Ces pauvres êtres, ils se débattent inutilement dans le vide! Trop dociles et trop soumis pour renier totalement Krishnamurti et s'en tenir à leurs anciens idéals, tout à fait incapables de comprendre à quoi ce dernier veut en venir ni de retirer de ses discours une satisfaction quelconque; manquant, d'autre part, de l'initiative voulue pour se dégager énergique-ment et suivre leur propre voie, ils se demandent si les ensei-gnements reçus jadis n'étaient peut-être, après tout, qu'une charmante fiction... C'est la désolante conclusion qu'il leur faut envisager durant des nuits sans sommeil. Rien de plus navrant que de devoir révéler à quelqu'un que ce qu'il croyait n'existe pas. Même l'être qui ne croit qu'en *lui-même* s'effondre, lorsque cette foi est ébranlée. Que leur reste-t-il à faire, maintenant ? Krishnamurti a détruit tous leurs anciens points de repère. S'ils se risquent à penser et à agir selon les critères d'autrefois, ils reçoivent sur les doigts... S'ils en appellent à Krishnamurti lui-même, dans l'espoir qu'il a encore « quelque chose dans sa manche », quelque croyance inexprimée qui leur permettrait de concilier l'ancien et le nouveau, les voilà frustrés de nouveau sur toute la ligne ! Que va-t-il advenir d'eux ? »

« Probablement, dit Toni, surgira-t-il quelqu'un qui travaillera à leur redonner la foi dans les Maîtres. »

« Il se pourrait bien que ce fût trop tard et qu'ils ne soient plus en mesure de répondre à cet effort. Les uns seront trop vieux, les autres trop découragés. Vous ne pouvez mettre en pièces des croyances datant de longues années en arrière sans amoindrir la faculté même de croire; je suis presque certaine de cela. Parfois, je me demande si les Maîtres eux-mêmes n'éprouvent pas quelque tristesse, à voir l'abîme que Krishnamurti a creusé entre eux et tous ceux dont ils étaient autrefois à même de guider les pas... Et maintenant, fit-elle, changeant brusquement de discours, vous ayant suffisamment cassé la tête, j'ai grande envie de manger un sandwich ! »

Elle nous fit, de la main, un petit signe ironique et sortit de la pièce.

« Je crois que l'ami Krishnamurti lui a été un peu sur les nerfs », remarqua notre Américain, rempli de sympathie, mais aussi quelque peu amusé.

« On le dirait, en effet », acquiesçai-je.

« A vrai dire, lorsque vous venez de perdre votre Gourou

et votre amie la plus chère, intervint Herbert, ce n'est pas précisément l'heure d'aller écouter Krishnamurti rabaisser les Maîtres et nier la survivance personnelle de l'homme. »

« Oui, et ce dont aucun de vous ne semble se rendre compte, dit gravement Toni, c'est que, même si Viola a perdu la faculté de clairvoyance, elle est très médiumnique. Mentalement sensitive aux conditions environnantes, elle se sent comme poussée à exprimer les pensées et les sentiments collectifs de ces malheureuses femmes qui ne peuvent, ou n'osent pas les exprimer elles-mêmes... »

« Une bonne note pour toi ! » conclut Arkwright.

« Personnellement, remarquai-je, j'ai toujours pris un intérêt particulier à l'évolution de Krishnamurti. Qu'il ait commencé par être un Dualiste, pour devenir ensuite un Moniste védantique, un Advaitiste, est un cas des plus singuliers. C'est dommage qu'il ait ensuite rabattu de son Advaitisme, au lieu d'aller jusqu'à ses dernières conséquences. Se contenter de nous déclarer que la Vérité est le Bonheur, ou même l'éternel Bonheur, n'est pas tout à fait suffisant. Le véritable Advaitiste affirme que la Vérité est l'Existence, la Connaissance, la Félicité absolues... »

« Ah ! s'il disait cela, intervint Toni, l'impression serait assez différente. Mais soutenir, par exemple, que *la Vérité ne saurait apporter aucun réconfort* sans expliquer et compléter immédiatement cette déclaration, c'est tout simplement bouleverser les âmes et les laisser totalement insatisfaites. Lui-même, qui se sait *être* cette Félicité absolue, n'a *pas besoin* de consolation, et c'est là toute la question ! »

« Je me demande, dit pensivement Lyall, s'il se rend même compte que c'est l'Advaita qu'il enseigne ? »

« Pas la moindre idée ! » fit Arkwright.

« Il a tellement l'air de craindre les gens qui trouvent un

point de contact entre *sa* philosophie et leurs propres croyances, que j'en doute vraiment un peu », dit Lyall.

« Qu'il s'en rende compte ou non, le fait subsiste, dis-je, et je puis facilement le prouver. » Je pris la pile des *Star Bulletins* que j'avais collectionnés et, par chance, en ouvrant l'un d'eux, je tombai précisément sur l'expression de sentiments qui avaient soulevé l'indignation de ma femme.

« Ecoutez ceci : « *L'épanouissement spirituel ne procède pas du fait de suivre un guide, un maître ou un prophète... Se faire le disciple d'un autre est une faiblesse... Un médiateur n'est qu'une béquille... La Vérité ne réside pas dans les distinctions, les ordres, les sociétés, les églises...* »

« *Comme je suis libre de traditions et de croyances, je voudrais libérer les autres des croyances, des dogmes, des credos et des religions qui conditionnent leur vie.* »

Allant à ma bibliothèque, j'y pris les Conférences de Vivekananda sur le Védanta et lus à haute voix ceci :

« *Rien ne fait de nous un être moral comme le Monisme... Lorsque nous n'avons plus personne sur qui régler nos pas tâtonnants, plus personne sur qui faire tomber notre blâme, quand nous n'avons plus de Diable ni de Dieu personnel à qui attribuer nos maux, alors seulement nous nous élevons vers ce qu'il y a de meilleur et de plus Haut... Livres et pèlerinages, Védas et rites religieux, ne pourront jamais me lier... Je suis l'Absolue Félicité...* »

Reprenant les petits cahiers jaunes, j'y lus encore d'autres passages :

« *... Le « Je » est la limitation résultant de la séparativité... A chaque instant de la journée, par un effort incessant et concentré, nous devons faire tomber ce mur de la limitation et nous installer dans la vraie liberté de conscience. C'est là l'immortalité... C'est* *être au-delà du temps et de l'espace, au-delà de la naissance et de la mort... »*

Je revins une fois de plus à Vivekananda :

« Dites-vous jour et nuit que vous êtes cette âme (ce Soi Unique). Répétez-le jusqu'à ce que ce soit entré dans votre sang même... que votre corps soit empli de cette seule idée : Je suis celui qui ne naît pas, qui ne meurt pas, l'Ame bienheureuse, éternellement glorieuse. »

Puis nous nous mîmes à comparer entre eux de nombreux autres passages. Par exemple : *« Je prétends que l'homme est essentiellement libre. »* (Krishnamurti.) — *« Nous sommes libres, cette idée d'esclavage n'est qu'une pure illusion. »* (Vivekananda.) — *« Le Bonheur réside dans un détachement extrême. »* (Krishnamurti.) — *« N'ayez point d'attaches. »* (Vivekananda.) Et ainsi de suite.

« Eh bien, j'estime que c'est assez concluant », observa enfin Arkwright.

« Ce qui est regrettable, dit à son tour Lyall, c'est que Krishnamurti n'ait pas l'art de faire rayonner ses idées. Peut-être sait-il lui-même ce qu'il pense, mais il ne s'entend pas à le communiquer aux autres. Je crois que seuls les gens qui ont été, auparavant, convenablement enseignés par un Gourou peuvent réellement saisir ce dont il parle. »

« Précisément, dit Arkwright. Le reste des auditeurs saisit bien le processus de « démolition », mais quant à savoir ce qu'il leur offre pour reconstruire, c'est une question bien différente !... *Nous* savons le but qu'il vise, parce que nous avons étudié l'Advaita avec J. M. H. »

« Qui disait également — ne l'oubliez pas — insistai-je, que ce n'était pas une philosophie propre à être diffusée comme la seule voie menant à la libération. »

CHAPITRE VI

UNE ADEPTE DE LA NOUVELLE MORALE

Ecrire des livres comme celui-ci, où l'on avance certaines idées assez contraires à la morale conventionnelle et où l'on met en scène des personnages réellement existants, peut vous conduire à d'embarrassantes complications.

Il y a bien des années, j'avais eu, pour une jeune fille du nom de Gertrude Wilton, une amitié amoureuse. Son père était un Archidiacre, à qui Moreward Haig avait en plus d'une occasion prêté assistance, et il fut aussi présent à son lit de mort [1]. En raison de tout ce qu'il faisait pour son père et pour elle-même, Gertrude aimait J. M. Haig avec la vénération que l'on ressent pour un Gourou, quoique ce ne fût que bien plus tard qu'elle put réaliser la pleine signification de ce terme. A vingt-trois ans, c'était une belle jeune fille ; mais, en tant que femme approchant la maturité, elle est à mon sens bien plus belle encore. Après la mort de son père, elle épousa un juriste bien connu, et tous les trois, nous sommes un trio d'intimes amis. Pendant de longues années, Gertrude et son mari ont été extrêmement heureux, bien qu'à dire vrai, Alfred — c'est le nom que je lui donnerai — aime sa femme plus qu'elle ne l'aime.

---

[1] Voir *L'INITIÉ*, Chapitre IX.

Un soir que je dînais chez eux, je fis à part moi la remarque que quelque chose devait aller de travers. Gertrude paraissait mal à l'aise ; Alfred semblait fort déprimé. Je les connaissais assez bien pour leur demander franchement ce qui n'allait pas. Mais leurs réponses évasives et peu compromettantes montraient si évidemment qu'ils ne désiraient pas se confier à moi, que je me le tins pour dit et changeai de sujet.

Cependant je me trompais : loin de répugner à s'ouvrir à moi de leur préoccupation, ils me prirent, chacun à son tour, pour leur confident absolu, et m'érigèrent en même temps en Cour d'appel.

Alfred et moi étions en train de fumer le cigare ; il toussa un peu pour s'éclaircir la voix. « Evidemment, dit-il, je n'ai pas connu celui que tu appelles ton Gourou, mais il a une très grande influence sur Gertrude, et je pourrais même dire sur *moi*, indirectement. »

Je me demandais ce qui allait suivre. N'ayant rien de particulier à répondre, j'attendis.

« Hum, fit-il, comme cherchant ses mots, tu nous a demandé si quelque chose « clochait » chez nous. Eh bien, oui, c'est un fait. Je ne suis pas un homme de tempérament jaloux. D'accord avec ton Gourou, je juge ce genre de manifestations infantile et sans dignité. Seulement j'objecte fortement au fait que Gertrude, étant liée avec un individu taré, fasse parler d'elle dans tout Londres. Car il va même jusqu'à lui emprunter de l'argent. »

J'admis que c'était un peu fort.

« Non seulement ma femme attend de moi que je lui taise mes sentiments personnels — et évidemment, bien que j'aie fait de mon mieux pour les combattre, j'ai peine à étouffer certains instincts naturels qui défient toute théorie — mais elle ne tient pas compte le moins du monde de mon propre

point de vue ! Ce n'est pas que je lui conteste le droit de trouver
son bonheur où elle le veut, mais, après tout, j'ai ma position
à considérer ! Si, du moins, elle était discrète... Mais elle est
si fière de toute cette histoire qu'elle ne peut se tenir de la
claironner partout. Elle s'estime une représentante de la
« nouvelle morale », ou je ne sais comment votre Gourou la
nomme... »

« Quel genre d'attraction cet homme exerce-t-il sur elle ? »
m'enquis-je.

« Dieu le sait... » Il haussa les épaules. « En fait, se corrigea-
t-il, il est fort beau, d'une de ces beautés efféminées que je ne
puis sentir. »

« As-tu tenté d'intervenir d'une façon ou d'une autre ? »
demandai-je.

« Que *puis*-je faire ?... Lorsque je proteste, elle me dit de
relire le livre que tu as écrit. »

Mon visage se contracta.

« Je crains bien que tu ne sois pas le seul mari qui, du fait
de mon livre, se trouve placé dans cette sorte d'embarras...
lui dis-je par manière de consolation, car j'ai reçu d'autres
lettres parlant de désordres de ce genre... »

« Ah !... fit-il, songeur. Il y a d'autres plaintes. Eh bien !
je t'ai dit les faits ; maintenant, je veux être pendu si je sais
quelle conduite adopter. Mettons que des gens mariés doivent
se pardonner réciproquement des peccadilles, mais il s'agit
ici, d'une question toute différente. Ton Gourou — en tous cas
d'après *ma* compréhension de ton ouvrage, — n'a jamais encou-
ragé l'égoïsme brutal ? »

« C'est bien certain. »

« L'ennui, c'est qu'elle refuse d'admettre qu'elle agit en
parfaite égoïste ; elle parle de « réformer » cet individu et
autres non-sens... »

« C'est curieux, combien les femmes aiment à *réformer !* »
dis-je en riant ; mais Alfred était absorbé par ses propres
pensées.

Il dit alors, en hésitant : « Serait-il possible que tu écrives
à ton Gourou pour lui demander... »

« Cher ami, interrompis-je, je donnerais beaucoup pour le
pouvoir ! Mais je ne sais pas où il est, ni même s'il est mort
ou vivant... En fait, Viola et moi, nous avons passé par de
durs moments, ces derniers temps — tout d'abord elle a perdu
sa plus intime amie et, maintenant, J. M. Haig a disparu. »

Il m'exprima sa sympathie et convint que, dans les circonstances données, sa suggestion était sans objet.

« Quoiqu'il en soit, hasardai-je, si tu penses que ce puisse
être de quelque utilité que je parle à Gertrude... »

Il sourit, avec un peu d'amertume. « C'est *elle* qui te parlera,
si tu lui en donnes la moindre occasion ! »

*   *
*

Je trouvai Gertrude seule dans le salon. « Alfred ne vient-il
pas ici ? » s'enquit-elle.

« Il écrit des lettres, expliquai-je », omettant de dire que
ces dernières n'étaient qu'un prétexte pour nous laisser seuls.
Je m'assis à côté d'elle, sur le divan.

« Je suppose qu'il vous a tout raconté ? » s'enquit-elle ; et elle
ajouta, sans me laisser le temps de répondre : « Je croyais comprendre Alfred, mais évidemment ce n'est pas le cas... Je m'at-
tendais à ce qu'il se comportât si différemment ! C'est comme
s'il retirait d'une main ce qu'il donne de l'autre. »

Je ne disais mot, résolu pour l'instant présent à la laisser
« vider son sac ».

Elle se tourna vivement vers moi : « J'ai fait une merveilleuse expérience... Car *c'est* merveilleux, vous savez, d'être capable d'aider quelqu'un qui en est réellement digne ! »

Je souris en moi-même, car — je venais de l'apprendre — ce quelqu'un de *réellement digne* était un noceur qui lui empruntait de l'argent. « Ne pensez-vous pas comme moi ? » insista-t-elle, pour m'obliger à répondre.

Je dus convenir que c'était exact.

« Basile est un tel chéri ! Si seulement **Alfred** pouvait le comprendre... »

« Tout être humain est temporairement un *chéri* — aussi longtemps que nous sommes amoureux de lui... » ne pus-je m'empêcher d'observer.

« Vous êtes toujours si léger, Charlie, fit-elle, d'un ton de reproche ; ceci est réellement sérieux. Car il est un lien avec mon incarnation passée... Oh! je sais qu'il en est ainsi... Du premier instant où nous nous sommes rencontrés, je l'ai *su*... Vous me comprenez, *sûrement* ? »

Mais, en dépit de son charme, j'aurais mieux compris Gertrude si elle ne se fût pas montrée si « intense ». Lorsqu'elle devenait intense, je devenais à mon tour très froid, et elle le savait bien.

« Si l'on croyait devoir tenir compte (érotiquement parlant) de tous les liens qu'on a eus dans le passé... » commençai-je d'un ton assez sec ; mais, d'un air plein de hauteur, elle ignora ma remarque :

« Ne voyez-vous pas que c'est une occasion de mettre en pratique ce qu'enseignait Moreward Haig ? C'est ce que je répète toujours à Alfred... Si je ne donnais pas à Basile ce dont il sent qu'il ne pourrait se passer, il dit qu'il ne lui resterait plus qu'à s'en aller... Il n'aurait jamais la force de supporter la vie... » — Mais il sautait aux yeux que cette impuissance de Basile à « supporter la vie » était pour elle une source de contentement, plutôt que de regret.

« Et à supposer qu'il s'en aille ? suggérai-je, que s'ensuivrait-il ? »

« Oh ! vous êtes si lourdaud ! cria-t-elle ; faut-il être si terriblement explicite ? Ne vous ai-je pas clairement fait entendre que... spirituellement... il... » Elle coupa court et haussa les épaules, devant mon apparente incapacité à saisir.

« Ma chère, dis-je, venant à son aide, ce que vous voudriez évidemment me dire, — sans l'oser tout à fait — c'est que vous êtes une âme plus *avancée* que l'homme que vous fréquentez et que, plutôt que de le laisser s'en aller, le privant ainsi de l'inestimable avantage spirituel d'être associé à votre vie, vous préférez commettre — je veux dire, vous préférez être infidèle à votre mari... Et vous êtes très fière de cela, par-dessus le marché ! » ajoutai-je triomphalement.

« Eh bien ! je fais ce que Moreward Haig aurait jugé juste » répondit-elle, ignorant volontairement mon ironie.

« Ah ! non, vous ne le faites pas ! Vous agissez tout bonnement comme une femme très ordinaire, qui s'illusionne sur elle-même... J'eus un rire moqueur qui la fit tressaillir. Quoi que vous puissiez dire, il saute aux yeux que vous désiriez faire l'amour avec cet homme... »

« Que vous êtes vulgaire dans votre langage ! » interrompit-elle.

« ... mais, au lieu de regarder les choses en face, vous prétendez vous faire accroire à vous-même, et aux autres, que vous avez en vue quelque noble dessein. Vous savez parfaitement bien que si vous envoyiez promener cet homme, cela lui ferait beaucoup plus de bien que n'importe quoi d'autre... c'est ce genre de type-là... Mais non — vous préférez faire parler de vous dans tout Londres et mettre votre époux dans une situation inadmissible pour un homme de sa position sociale et de sa valeur ! Sûrement, vous n'allez pas me soutenir que J. M. H. défendrait une pareille manière d'agir ? »

Bien entendu, elle riposta par une véritable canonnade d'arguments, dont pas un ne toucha le but ; elle alla même jusqu'à me faire entendre que c'était la faute d'Alfred si cette affaire lui causait quelque souffrance. Aussi *mon* devoir à moi, était-il de le convertir à son point de vue à elle. Je maintins fermement mes positions et la laissai parler tant qu'elle voulut.

« Voyons, Gertrude, dis-je enfin, essayant de la ramener à un plus juste état d'esprit, ne m'en voulez pas de ce que je puis vous dire : il me semble qu'Alfred a une conception plus claire que vous de ce que Moreward Haig pensait dans ce domaine. Votre mari a été assez dénué d'égoïsme pour ne pas se fâcher ni déclarer que toute cette histoire devait cesser — il vous a simplement demandé de n'en pas répandre le bruit et je l'approuve pleinement sur ce point. » — Je pris la main de Gertrude et, bien que je fusse un homme trop âgé pour réagir encore à sa séduction, je ne pus m'empêcher de sympathiser en moi-même avec l'homme — quelqu'il fût — devenu la victime de ses appas.

« Je suis presque convaincu, poursuivis-je, que si j'avais été en position de consulter J. M. H. il aurait dit que le pire, en toute cette affaire, était votre manque de sincérité envers vous-même. Parce que les séductions de Basile ont été plus fortes que vous, vous prétendez n'y avoir cédé que dans le but d'élever son âme, ce qui est un pur non-sens... puis, pour satisfaire votre vanité, vous vous déclarez un champion de la morale nouvelle — ce qui ne parvient qu'à vous rendre ridicule. Finalement vous étant conduite, envers votre mari, avec un indéniable égoïsme, vous vous irritez de ce qu'il n'ait pas tout à fait bien rempli le rôle que vous lui aviez assigné...

La vérité, c'est que vous avez envie de vivre votre roman d'amour, mais que vous voudriez vous assurer l'entière tolérance de votre mari et — par mon intermédiaire — l'approbation de J. Moreward Haig... Au total, ma chère Gertrude, résumai-je, souriant et tapotant sa main — si l'on ne peut pas manger un gâteau et l'avoir encore, on peut encore moins en avaler trois — et les conserver tous ! »

CHAPITRE VII

DAVID ANRIAS
ASTROLOGUE ET OCCULTISTE

Nous avons rencontré David Anrias dans la demeure de quelques-uns de nos amis et en sommes toujours demeurés reconnaissants, car nos relations avec lui ont été importantes non seulement pour nous-mêmes, mais encore pour le présent ouvrage. Bien que Viola l'appelât par blague le *Sorcier*, il n'y avait, dans son physique comme dans son caractère, pas le moindre trait sinistre. Au contraire, son visage respirait la gaieté alliée à un profond sens de l'humour, qui devenait plus frappant encore, lorsqu'on le connaissait davantage. En fait, il était ce que les Allemands appelleraient *ein Original*, — et, par là, ils entendent « une personnalité unique ». Si, lorsqu'il était sérieux, la manière de s'exprimer d'Anrias — toujours incisive et pittoresque — paraissait cependant normale, lorsqu'il était d'humeur plaisantine sa conversation était abondamment et drôlement entrecoupée de termes astrologiques, psychanalytiques et théosophiques — sans mentionner ses singulières abréviations et autres espiègleries.

Après avoir fait sa connaissance, nous revîmes fréquemment Anrias. Il nous raconta qu'il avait passé bien des années en Inde et qu'il avait coutume de se retirer de longs mois dans les Collines de *Nilgiri*. Là, il pratiquait la méditation sous l'égide d'un Maître dont Mme Blavatsky parlait en le nommant « le vieux Monsieur de *Nilgiri Hills*. » Ce Maître, spécialisé dans l'astrologie et ses rapports avec les forces cosmiques, surveillait et encourageait le développement de cette science partout où il le pouvait. Il jugea apparemment que le cerveau d'Anrias, parent du sien, était susceptible d'être instruit et formé sur la même ligne.

« Vous comprenez, disait Anrias, en nous expliquant le *modus operandi*, toute la question est de savoir accorder son psychisme à un ordre particulier de vibrations. Chaque Maître, naturellement, a sa vibration propre. Mais avant d'essayer d'établir un contact quelconque avec l'un d'eux, il est absolument essentiel de méditer premièrement sur lui, de le *réaliser* jusqu'au centre de son cœur, parce que c'est dans *ce* centre que l'on peut reconnaître la « dominante » respective de chacun d'eux. — Une fois que j'ai su faire cela, j'ai dû apprendre à calmer mon esprit, au point de le rendre réceptif au *sien* sur un niveau déjà assez élevé. »

« Mais pouvez-vous être certain que *c'est bien* une vibration de Maître, que celle à laquelle vous êtes parvenu ? Un Frère Noir ou quelque autre entité indésirable ne pourraient-ils vous faire illusion ? » demanda Viola, profondément intéressée.

« Impossible, répliqua-t-il. Aucun Frère Noir n'est capable de contrefaire une vibration, ni de reproduire le timbre de la tonique basée sur l'Amour — et c'est là notre seule sauvegarde. »

Il nous raconta ensuite comment, après des années d'exercice, il avait acquis le pouvoir de s'adapter aux vibrations d'autres Maîtres. Finalement il était devenu si sensible aux différentes longueurs d'ondes, qu'il lui arrivait même de se dispenser du processus d'adaptation, parce qu'il ressentait leurs diverses présences aussitôt que les Maîtres jugeaient bon d'établir le contact.

Naturellement, dès que ma femme et moi l'entendîmes prononcer le mot de « Maître », nous bombardâmes de questions notre nouvel ami. Ce fut alors qu'il nous révéla un fait qui nous remplit de joie. Le Maître Kout-Houmi l'avait prié, télépathiquement, de se mettre en relation avec nous par l'intermédiaire des amis susmentionnés. Il lui fit savoir qu'il voulait, par son canal, établir immédiatement un lien avec nous, qui traversions un temps extrêmement difficile. Je dois souligner que David Anrias, à ce moment-là, n'avait pas le moindre soupçon de nos relations antérieures avec Kout-Houmi par l'entremise de Chris. Il n'avait fait que lire un ou deux de mes ouvrages et, en fait, était précisément sur le point d'en lire un autre (publié, celui-là sous mon véritable nom) lorsqu'il devint sensible au message télépathique de Kout-Houmi. Anrias nous confia plus tard qu'il n'y avait pas réagi avec grand enthousiasme : « J'étais sous des aspects astrologiques désastreux, y compris le Soleil carré Saturne ; et, véritablement, être appelé à entrer en contact, à ce moment-là, avec d'autres Egos également plongés dans le noir — sans compter que vous êtes sur un rayon [1] différent, ce qui crée encore des complications — cette idée excitait, malgré moi, ma résistance ! »

Nous ne pûmes nous empêcher de rire de sa franchise, comme de sa manière de s'exprimer.

Naturellement, à la première occasion possible, nous demandâmes à David s'il n'aurait pas quelque intuition psychique relative à Moreward Haig. Mais, bien qu'il se livrât à des conjectures à cet égard, il ne put rien nous dire de défini : il avait, au fond, le sentiment qu'il ne lui était pas permis de le faire.

Toutefois, en ce qui regardait Chris, dont Viola était désespéremment anxieuse d'avoir des nouvelles, il nous dit, après

---

[1] Les Sept Rayons, ou lignes d'évolution déterminent les différentes méthodes de la formation occulte. (*Note de l'auteur.*)

un moment de silence, qu'il savait par Kout-Houmi — dont Chris avait été le disciple — qu'au lieu de jouir de l'habituel repos céleste, son âme avait fusionné avec celle de son Maître dans l'Himalaya...

« Oh ! mais alors, elle est réellement heureuse ! » s'écria Viola avec soulagement.

« La joie de devenir *un* avec son Maître ne saurait être égalée par rien d'autre au monde. Mais pourquoi, ajouta David, avec quelque étonnement, avez-vous supposé qu'elle n'était pas heureuse ? »

« Ces messages, que nous recevions par un médium — eh bien ! ils ne donnaient jamais vraiment l'impression de la joie... »

« C'est que, expliqua David, étant donné qu'elle n'avait rien de commun avec le médium, il lui fallait probablement, pour communiquer avec vous, puiser *en vous-même* le fluide nerveux ; et comme vous étiez, en ce temps-là, très déprimée, les messages réfléchissaient simplement votre propre état d'esprit. Néanmoins, en dépit de ces pauvres résultats, je devine que sa compassion pour ses amis restés en arrière était si grande, qu'elle essayait toujours à nouveau, à l'aide de ses pouvoirs dévaniques, de demeurer en contact avec vous dans la mesure du possible. »

Après le départ de David, Viola me dit : « Combien je suis reconnaissante qu'il ait éclairci pour nous ce qui touche à Chris... Cela abolit presque toute l'amertume que je ressentais à cet égard... » Elle ajouta, après un silence : « Malgré tout, elle *a réussi* à nous faire dire quelque chose de sensé par l'intermédiaire de *Snowflake* — car ce lien, que Chris cherchait à établir entre nous... ce doit être David ! »

* * *

Au cours de cet hiver-là, David, Viola et moi nous nous trouvâmes bien souvent assis au coin du feu, discutant de sujets
variés — à moins qu'Anrias ne nous contât ses expériences
des Indes. J'ai toujours été très intrigué par la psychologie
de la race indienne.

« Comment s'expliquer, demandais-je, que ce peuple, possédant une si admirable philosophie, soit en même temps
aussi malpropre et aussi insaisissable, à plus d'un point de
vue ? »

L'explication donnée fut des plus instructives. « Chaque
race, nous dit David, a son type particulier de développement
et ses limitations spéciales : or nul homme n'échappe entièrement à l'influence de sa race, elle est susceptible d'affecter son
subconscient même quand il s'en doute le moins. L'Indien,
par exemple, possède une capacité héréditaire de compréhension de la pensée métaphysique — sans que, d'autre part, on
lui voie faire le moindre effort pour l'appliquer dans le monde
des faits. S'il existe toujours, en Orient, un besoin latent de
recherche de la Vérité — de la part de l'*individu*, seulement —
il règne un point de vue absolument différent sur le terrain
des affaires, où l'habitude de la chicane et des disputes apparaît comme toute naturelle. Dans un climat qui rend les
plaisirs physiques à peu près impossibles, ceux-ci sont rem-
placés par un passe-temps purement mental, qui consiste
(surtout depuis que des tribunaux britanniques ont été établis
aux Indes) dans le seul délice de surpasser un adversaire en
éloquence. Les plus pauvres, même, sont prêts à risquer leur
tout au Tribunal dans le puéril espoir d'obtenir gain de cause
et de triompher ainsi d'un concurrent ! Il ne vient nullement
à l'idée de ces gens qu'aucun progrès occulte n'est possible sans
un sincère amour de la vérité et la pratique de l'honnêteté dans
la vie quotidienne. Ainsi, l'on voit souvent cette aisance à

concevoir la métaphysique et à s'en délecter, combinée avec une mentalité dissimulée et délibérement mensongère. »

Un soir, Viola demanda à notre astrologue son opinion sur le problème que représente Krishnamurti. Il connaît ce dernier personnellement et a une grande affection pour lui.

« Qu'éprouveriez-vous, répondit-il, si vous aviez été voué à une tâche extrêmement haute et difficile, avant même d'avoir eu le temps de « réaliser » votre propre personnalité et de vous rendre compte de ce que vous attendez de la vie ? Ne comprenez-vous pas ce qui s'est produit ? Dès l'âge de garçonnet, Krishnamurti a vécu sous le poids d'une atmophère pleine d'idées préconçues, quant à sa mission et à son enseignement futurs... Peut-on s'étonner que, dès qu'il a pu penser par lui-même, il ait opposé un esprit de résistance à l'endroit de presque toutes les choses demandées de lui, et qu'il ait incliné vers une philosophie diamétralement opposée à celle qu'entrevoyait la Société Théosophique ? Le fait même qu'il évite délibérément tous les termes théosophiques — alors que beaucoup lui eussent été très utiles — démontre à l'évidence ce qui se passe dans son inconscient. »

« Alors je suppose, dit Viola, que c'est cette même réaction de son inconscient qui entre en jeu, lorsqu'on lui pose des questions au cours d'une de ses conférences, et qui l'incite à lancer, chaque fois, contre la Théosophie quelque allusion désobligeante — même si elle n'a rien à voir avec le sujet traité. »

« Exactement ! Et maintenant vous vous rendez compte pourquoi il s'est levé, comme Samson, dans un dernier et terrifique effort pour retrouver sa liberté spirituelle, et a brisé les piliers du Temple de la Théosophie... »

« Oui, mais il a, du même coup, écrasé les fidèles rassemblés dans le Temple. Estimez-vous vraiment que la liberté spiri-

tuelle d'un seul vaut la souffrance causée à des milliers
d'autres ? » fit Viola, un brin provocante.

« Mais vous devez vous rappeler que les fidèles eux-mêmes
furent largement responsables de la présente attitude de
Krishnamurti…» et David se mit à arpenter la pièce, une habitude qu'il avait chaque fois qu'il se lançait dans le développement d'un thème intéressant. « Ce que je voudrais faire entrer
dans vos esprits, c'est que les incessantes et contradictoires
exigences de la foule des prétendus « chélas » qui suivaient ses
conférences, en agissant sur sa sensitive *aura*, l'ont contraint,
par manière d'évasion, à émettre cette théorie que chélas et
« organisations » constituent des obstacles à l'évolution, plutôt
que des valeurs essentielles. » Il jeta sa cigarette dans le feu
et, en silence, en ralluma une nouvelle. « En tous cas, discours
et conférences me semblent toujours êtres des coups d'épée
dans l'eau… Après tout, *tant* d'orateurs ne nous servent que
de vagues généralisations — à moins que ce ne soient des
affirmations dogmatiques sur certains états de conscience qui
ne sauraient en aucun cas être *expliqués*, parce qu'il faut les
expérimenter, et qui plus est, pour les expérimenter, être né
sous la bonne conjonction d'astres : sous certains signes, dans
certaines maisons… »

« Eh bien ! il est des plus évidents que je ne suis pas née sous
la conjonction d'astres voulue, fit en riant Viola : la philosophie
de Krishnamurti n'est, pour moi, d'aucun profit ! »

« Bien entendu, répliqua David, elle n'est pas utile à *n'importe
quelle femme* : en fait, seules celles qui ont, en tant qu'hommes
et dans des incarnations antérieures, pratiqué le *Raja-Yoga*
— par exemple H. P. Blavatsky et Annie Besant — peuvent
en recevoir quelque chose. En somme, comme je viens de le
dire et ne crains pas de le répéter, (il frappait de son index
droit la paume d'une puissante et pourtant sensitive main

gauche) cette manière d'écouter les discours d'autres Egos
sur la Fraternité ou tout autre idéal, ne peut donner, en ce qui
touche l'auditoire, que des résultats superficiels, qui se révèlent
inopérants à la première épreuve sérieuse ! »

« Je suis sûr qu'il y a beaucoup de vrai dans ce que vous
dites » convins-je — bien que nous ne pussions nous empêcher
de rire de ses façons de s'exprimer.

« Prenez, par exemple, l'idée de Fraternité, poursuivit
David, en se laissant tomber dans un vaste fauteuil ; a-t-on
fait assez de belles paroles sur elle ! Pourtant elle découle
d'expériences intimes — et non pas de sempiternels discours...
Je me souviens, étant en voyage, de m'être arrêté un jour au
bureau de poste d'un petit patelin des *Nilgiri*. Comme je tendais
la main vers l'employé pour payer les timbres demandés, je
reconnus, en ce fonctionnaire, un chéla de l'un des Maîtres que
je connais. Instantanément, de part et d'autre, nous nous
comprîmes... nul besoin du pesant intermédiaire des mots...
Je devinai qu'il devait avoir d'exceptionnels dons de *clair-*
voyance, qu'il avait passé par bien des expériences... à la fois
dans la chair — et hors de la chair. Il ressentait sans doute la
même chose à mon sujet... Je me souviens d'une autre occasion
où j'allai à la rencontre d'un couple d'Indiens qui venaient
m'apporter un texte traduit du sanscrit dont j'avais besoin :
pas une seule parole ne fut échangée entre nous ; mais par le
même contact silencieux, basé sur la même subtile source
d'information, nous nous reconnûmes *immédiatement* comme
étant les chélas de mon propre Maître. »

Nous demeurâmes tous trois silencieux durant un moment,
contemplant le feu et plongés chacun dans ses réflexions.

Soudain, David tira sa montre. « Passé onze heures, chers
Egos ! s'exclama-t-il en bondissant sur ses pieds. Juste le temps
d'attraper le dernier *bus* pour rentrer ! »

CHAPITRE VIII

LE TÉLÉGRAMME

Arkwright, que sa femme avait maintenant rejoint, était parti pour le Continent, où il continuerait son voyage d'agrément. Nous l'avions vu s'en aller avec regret et avions donné, en son honneur, un petit dîner d'adieu auquel Herbert et Toni Bland étaient présents. Toni semblait soucieux et préoccupé et tous nous nous demandions ce qui pouvait bien le tourmenter. Mais quelques jours plus tard, j'éprouvai un véritable choc, en lisant dans les journaux qu'il était impliqué dans un scandale des plus déplaisants. Je sus, par la suite, qu'il s'agissait d'une de ces affaires que l'on fait volontiers traîner en longueur — circonstance qui les rend particulièrement éprouvantes pour une nature aussi sensitive que celle de Toni. Le scandale en question est, je le crois et je l'espère, oublié actuellement et moins on en parlera, mieux cela vaudra. Je ne l'eusse même pas mentionné s'il n'avait une certaine portée occulte, qui apparaîtra par la suite.

Entre temps, Viola et moi continuions à voir fréquemment David Anrias qui, en sus de ses activités astrologiques, était en train d'étudier les effets produits dans le monde par le cinématographe, au sujet duquel il avait reçu un grand nombre de précieuses informations de la part de ses Maîtres. Il apprit ainsi que, durant l'actuel « Cycle de Mars [1] », les films devaient jouer un rôle fort important dans l'évolution et l'éducation des masses.

« C'est ainsi ! fit David, riant doucement — car il était ce jour-là en veine de drôlerie — même si les Egos du genre piétiste et les occultistes du genre morose, avec Saturne à l'ascendant, accablent de leur mépris des films considérés par eux comme de pures frivolités, les Maîtres, eux, ont des vues très différentes ! »

« C'est qu'ils sont si admirablement humains, s'exclama Viola. Te rappelles-tu — elle se tournait vers moi — lorsque nous avons emmené Chris à la répétition d'une revue au *Prince of Wales Theatre*, combien elle en fut impressionnée ? C'est que quelques-unes des pauvres petites danseuses de ballet qui, travaillant depuis de longues heures, étaient près de tomber de fatigue, devaient toujours à nouveau répéter leurs pointes et performances, jusqu'à ce que la dernière des doublures de la toute dernière rangée eût parfaitement fait sa petite affaire et que le *producer* se montrât satisfait. Chris déclara qu'elle n'eût jamais pensé qu'une simple répétition pût être une aussi merveilleuse école de patience et d'empire sur soi-même ! »

« Oui, ajoutai-je, et Dieu sait combien la vieille Miss... (j'oublie son nom) était scandalisée que Chris eût désiré aller au théâtre, et tout spécialement pour une *revue* ! » J'allais poursuivre, quand nous aperçûmes Mrs. Saxton (car nous nous trouvions, à ce moment précis, au restaurant) qui venait de faire son entrée avec une amie. « Aïe ! m'écriai-je, le Ciel fasse qu'elle ne nous voie pas ! »

---

[1] Ce Cycle (1909 à 1944), était en plein cours lorsque l'auteur écrivait cet ouvrage, paru en 1932. *(Note de la traductrice.)*

Mais elle nous aperçut et vint directement à notre table. Elle ne s'arrêta heureusement que quelques minutes à causer, puis rejoignit sa compagne dans une autre partie de la salle.

« *Grand véhicule, sous le signe du Scorpion... mauvaise influence de Mars à l'ascendant...* » marmotta David, résumant astrologiquement Mrs. Saxton d'après son extérieur. « *Semi-morose, avec énorme complexe de domination ; lèvre supérieure collant aux dents, dénotant fermeté ; chapeau ne tenant que par succion...* »

Nous nous amusions beaucoup !

« Elle a l'air de broyer du noir... *Véhicule s'acheminant vers le crématoire...* »

« Allons, allons, protestai-je ; assez de vos macabres pronostics ! »

« Attendez un peu, vous verrez. Oh ! quand cette servante de malheur nous apportera-t-elle enfin notre pitance ! » Il devint subitement irritable : « Je savais bien qu'elle était sous le signe du *Taureau*, le plus lent de tous les signes du Zodiaque ! »

« Ne vous occupez plus de la servante et du Zodiaque pour l'instant, fit Viola fermement. Je désire en savoir davantage sur ces films cinématographiques. »

Mais l'humeur d'Anrias avait déjà changé et il s'intéressait maintenant à un couple assis à quelque distance de nous.

« Regardez ce *Capricorne* aux lèvres minces, avec cet Ego féminin ! Bien qu'il soit très amoureux de son *véhicule*, pas une parole n'a été échangée entre eux depuis dix minutes. »

« C'est peut-être justement pour cela », suggérai-je.

« Ce ne serait pas la raison, s'il s'agissait de tout autre qu'un Anglais. Car un Français... Vous n'avez pas idée des immenses différences de réaction qu'il y a entre les races ; je les ai longuement étudiées. Or... » Il était déjà lancé dans ce qui m'eût semblé une amusante digression, quand Viola le ramena en riant au sujet déjà effleuré.

« Et ces films ?... » insista-t-elle.

David eut un geste d'impatience ; mais en cette minute-là, nous aperçûmes sur la paroi une affiche, représentant un acteur de cinéma bien connu. L'ayant considéré un instant, David dit, avec un regain d'intérêt : « Vous êtes-vous jamais représenté la terrible pression astrale à laquelle doit être soumise une vedette de cinéma ? Imaginez les milliers d'émotions et de pensées qui sont perpétuellement dirigées sur cet acteur ! Sans doute ne l'affectent-elles guère durant les heures où il se concentre sur son travail. Mais lorsqu'il n'est pas sur ses gardes, si l'on peut dire, ou lorsqu'il dort et qu'il agit dans son corps astral, elles risquent de l'entraîner dans un tourbillon de courants contradictoires qui lui seraient fort préjudiciables, s'il ne savait comment s'en défendre. Heureusement cette circonstance a été prévue par certains Maîtres et ils instituèrent un entraînement spécial, par le moyen duquel les *stars* de cinémas peuvent, en un temps relativement court, développer, sur le plan astral, de promptes réactions de défense. — Je n'ai pas trouvé ça dans ma propre cervelle — interpola-t-il, mais je l'ai appris de mon Maître. Selon le cours normal des choses, il faudrait des années, sinon des vies entières, pour développer pareille vivacité de réaction. Mais leur grande popularité les mettant souvent en posture difficile, ces artistes eux-mêmes aspirent à connaître un moyen de défense. Une fois cette connaissance acquise, ils désirent en savoir davantage encore et, de cette façon-là, ils évoluent plus rapidement que s'ils avaient tout simplement mené une bonne petite vie bourgeoise et monotone. »

« Je crois comprendre, n'est-ce pas, qu'ils ne savent rien de tout ce processus à l'état de veille ? »

« Non — à moins qu'ils ne soient particulièrement psychiques (ce qui n'est guère vraisemblable) et puissent en trouver le ressouvenir dans leurs rêves. »

« Sous quelle planète se trouve l'art de l'écran ? » demanda Viola, intéressée par le côté astrologique de la question.

« Sous Neptune, répondit David, ainsi que les stupéfiants et tout le domaine du mysticisme. »

« Quel singulier mélange ! commentai-je ; je ne vois pas du tout le lien ? »

« Neptune, expliqua-t-il, est en rapport avec le monde de l'*art* et avec celui de l'*illusion*, comme chacun peut le constater, s'il y réfléchit un moment. Lorsque Greta Garbo apparaît sur l'écran, elle nous donne l'illusion d'être devant nous en chair et en os. Lorsqu'un peintre fait un tableau, il suscite en nous l'illusion de contempler *véritablement* le paysage transposé par lui. »

« Et les stupéfiants ? » questionnai-je.

« Les stupéfiants également, créent en nous l'illusion. Pensez à de Quincey et à ses rêves d'opiomane. »

« Très juste, convins-je. Mais il reste encore à expliquer le mysticisme ? »

« Le mystique doit monter à travers les plans de l'illusion, pour atteindre celui de la Réalité. Mais, même la Réalité — prise dans le sens *philosophique* du mot — est, du point de vue purement physique, une *illusion* : ainsi, sous une forme ou une autre, le mysticisme est associé à l'illusion — bien qu'évidemment, les suprêmes vérités mystiques ne soient pas illusoires. »

« Une joliment bonne explication ! applaudit Viola. Malgré tout, il semble bizarre que la même influence fasse de vous soit un mystique, soit un possédé de la drogue ! »

« Ah ! mais n'oubliez pas, s'écria David, toujours ardent à

commenter son thème favori — si plein de mystère pour les esprits non initiés — n'oubliez pas que les influences planétaires ne font que créer des *tendances* à réagir à telle ou telle chose. Jusqu'à quel point, et dans quelle direction l'individu influencé réagira-t-il ? Ceci dépend de son degré d'évolution et des autres forces planétaires qui agissent sur lui. »

« Neptune n'est-elle pas ce qu'on nomme une planète *ésotérique* ? s'enquit Viola. Il me semble avoir lu quelque chose de ce genre. »

« Neptune et Uranus sont toutes deux, ou plutôt, *étaient* toutes deux des planètes ésotériques. »

« Quelle est la différence entre les planètes ésotériques et les planètes *exotériques* ? » demandai-je à mon tour.

« Eh bien, les planètes exotériques sont, du point de vue astrologique et psychique, en communication directe avec la Terre : elles en sont, moralement et matériellement, les guides et les gardiens — et vous devez vous rappeler que des Etres Spirituels extraordinairement puissants et possédant des pouvoirs plus immenses que vous ne sauriez l'imaginer, animent et vivifient ces planètes... Or donc, poursuivit-il avec emphase, tout en balançant distraitement, mais adroitement, un poivrier sur la pointe de son couteau, Saturne, Jupiter, Mercure et Vénus rentrent dans cette catégorie [1] ; je veux dire qu'elles influencent l'Humanité dans son ensemble, tandis que ce n'est que récemment qu'Uranus et Neptune, planètes ésotériques ou « secrètes », ont le pouvoir d'influencer les véhicules élevés de la conscience chez les individus du type le plus évolué. Mais, à en croire les astrologues de l'Inde, un changement s'est produit lors de la Nouvelle Lune de janvier 1910, ou, pour

---

[1] L'influence de la planète Mars sera caractérisée plus loin. (*Note de l'auteur.*)

être plus exact, au moment où le Logos Solaire commença à prendre une certaine initiation cosmique... »

« Quoi... voulez-vous dire que même le Logos passe par des initiations ! » interrompis-je avec étonnement.

« C'est ce que m'a dit mon Maître » répondit David.

« Juste Ciel !... »

« Cela semble un peu troublant, je l'admets ; ce n'en est pas moins un fait occulte que tous les Etres Spirituels peuplant le *Cosmos*, qu'ils soient d'un rang inférieur ou supérieur au Logos Solaire, doivent passer par des initiations correspondant à leur stade particulier d'évolution. Quoiqu'il en soit, Neptune et Uranus devinrent, à ce moment-là, des planètes exotériques en ce sens que les formes émanant d'elles ont été comme aspirées dans le Système Solaire, où elles ont créé de nouveaux courants magnétiques. Ces courants se concentrèrent spécialement sur la Terre — et le résultat fut que certaines prophéties basées sur des calculs antérieurs se trouvèrent incorrectes, Uranus et Neptune n'ayant pas été prises en considération dans les décisions journalières ; mais Jupiter (regardé de tous temps comme la planète, entre toutes, puissante et bénéfique) continua à être envisagée comme prédominant, en ce qui touche l'avenir. La Société Théosophique elle-même, égarée par cette idée, s'imagina que les rites religieux, parmi d'autres choses soumises à l'influence de Jupiter, devaient jouer une part importante dans ses activités. Mais la Société a dû constater que la forme de cérémonial choisie ne répondait pas à son attente. »

« Vous pensez à l'Eglise catholique libérale ? » interrompit Viola. Mais Daniel, ignorant cette question, poursuivit son discours :

« Il y a plusieurs années, déclara-t-il en replaçant avec soin le poivrier sur la table, je soulignai, dans divers journaux théosophiques, le fait que Neptune et Uranus étaient les influences avec lesquelles il fallait compter et qu'il était vain de vouloir se fonder sur Jupiter. Inutile de dire que personne n'y a prêté la moindre attention. »

« Cela ne m'étonne pas ! dit Viola, taquine ; personne ne prête jamais attention aux vrais prophètes, surtout lorsque, comme vous, ils font « cavalier seul » par-dessus le marché ! »

« Mon cher copain, dis-je, vous devriez écrire un livre sur vos trouvailles astrologiques et occultistes. »

Il me répondit par l'une de ses grimaces d'écolier : « J'ai toutes les intentions de le faire — quand les temps seront mûrs pour cela. »

Nous avions quitté le restaurant et marchions dans la direction de *Marble Arch*. « Eh bien, chers Egos, dit-il légèrement, comme nous atteignions la halte de l'autobus, nous nous séparons ici... Demain, je pars pour la campagne, où je resterai quelque temps. »

« Quoi ! vous allez nous abandonner ! cria Viola, et vous nous lancez cette tuile sur la tête aussi brutalement que cela ? »

Mais, tout en riant doucement, David se refusa à révéler sa destination.

« Vous êtes un drôle de *coco* », lui dis-je par blague. Une fois, déjà, il nous avait fait ce coup-là. Ayant quitté Londres sans nul avertissement, il n'avait pas écrit durant de longues semaines — puis avait reparu inopinément. Lorsqu'on lui demanda alors ce qu'il avait fait, pendant ce laps de temps, il répondit d'un air évasif : « Oh ! seulement médité... et tout ça... »

Viola et moi n'étions pas d'humeur très rose, en rentrant chez nous, ce jour-là. Nous nous faisions beaucoup de souci au sujet de Toni Bland et souffrions pour lui de la dure épreuve qu'il traversait ; et, par-dessus le marché, il fallait encore que

David, en fuyant à la campagne, nous privât de lui-même et de sa réjouissante fantaisie...

Puis, soudainement, tout fut changé — de la façon la plus imprévue ! — Comme nous pénétrions dans le vestibule de notre maison, je vis qu'un télégramme m'attendait sur la petite table. Il disait ceci :

« Prenez lundi 11 h. 29, le train à *Paddington Station* pour X... (ici, le nom d'une localité d'un comté du sud-ouest). Trouverez auto bleue vous attendant à la gare. Ne dites rien à personne, sauf à votre femme. »

J. M. H.

« Notre Gourou est en Angleterre ! » m'exclamai-je triomphalement, en tendant le télégramme à Viola.

CHAPITRE IX

LA DEMEURE D'UN MAITRE

C'était une maison de style Tudor, entourée des plus beaux jardins possibles, avec vue immédiate sur des collines boisées couronnées de jeune verdure printanière. On m'introduisit dans une spacieuse bibliothèque. Debout, le dos au feu, se tenait J. Moreward Haig, tandis qu'un vieux gentleman, coiffé d'une calotte, était assis à une petite table encombrée de papiers. Mon Maître s'avança au-devant de moi, me salua de son incomparable sourire, puis, passant la main autour de mes épaules, me conduisit vers le vieux gentleman.

« Sir Thomas, dit-il, voici l'un de mes chélas, Charles Broadbent. »

Le vieillard me considéra par-dessus ses lunettes, sourit et me tendit la main. Je jugeai qu'il devait avoir quatre-vingts ans, bien que son pâle et puissant visage accusât à peine quelques rides.

« Sir Thomas, comme vous le devinez, est ici notre hôte » expliqua Moreward.

Je murmurai quelque chose sur la bonté qu'il avait de m'offrir l'hospitalité.

« *Tut- Tut-* marmonna-t-il, très heureux... toute la place voulue dans cette maison... » Il regarda Moreward Haig avec un petit hochement de tête significatif, puis il quitta la pièce, emportant avec lui une liasse de papiers.

Lorsque la porte se fut refermée derrière lui, mon Maître me regarda un moment en silence — et l'amour qui rayonnait de ce regard est une chose qui ne se décrit pas en paroles, mais qu'il faut expérimenter. Je me sentais la gorge si serrée, que lorsqu'enfin je pus articuler quelque chose, ma voix ne résonnait que lointainement à mes propres oreilles. « Je n'ai pas besoin de vous dire ce que ce revoir est pour moi... d'autant plus que nous avons tant craint que vous ayez été tué. »

« Vous connaissez le vieil adage, fit-il en souriant : *Pour être bon, il est parfois nécessaire d'être cruel.* Croyez-vous que j'aie trouvé du plaisir à être cruel ? »

« Je crois qu'il n'y a rien qui pût vous faire moins plaisir, déclarai-je en toute sincérité. Pourtant, je ferai mieux de vous avouer que lorsque j'ai appris votre disparition, j'ai eu un moment d'indignation contre vous ! »

« C'était chose naturelle, mon fils, et je n'ai aucun reproche à vous faire. Mais je puis vous dire ceci : je n'avais nulle idée que les Seigneurs du Karma eussent décrété la mort d'un homme ayant les mêmes noms et initiales que moi ; je ne l'ai appris que par les courants de pensée de mes chélas. »

« Et même lorsque vous avez eu cette intuition »... commençai-je... Puis je m'arrêtai.

« Pourquoi hésitez-vous ? »

« Parce que... ce que j'allais demander n'est inspiré que par un simple désir d'information et que vous pourriez le prendre pour une critique... »

« Vous pouvez malgré tout le demander. »

« Pourquoi n'avez-vous pas, alors, fait paraître un avis démentant la nouvelle de votre mort ? »

« Parce que ceux qui y croyaient étaient tout simplement absurdes — et que ceux qui n'y croyaient pas n'avaient pas besoin d'être rassurés. »

« Cependant, durant un court moment, je l'ai cru moi-même ! » confessai-je.

« Vous avez d'autant plus de mérite d'avoir cessé de le croire. »

Il me poussa doucement vers un fauteuil, tandis que lui-même demeurait debout.

« Ecoutez-moi, mon fils. Vous croyez que je suis mon propre maître — et là vous faites erreur. Je ne suis qu'un instrument, de bonne volonté il est vrai, dans les mains de Ceux qui ont pris des initiations bien plus élevées que moi-même. Vous aussi, vous croyez que lorsque j'ai quitté ma maison de Boston, je n'avais nulle intention d'y revenir... Or vous vous trompez : si je n'y suis jamais rentré, c'est que j'avais reçu l'ordre de n'y pas retourner... »

« Mais Arkwright m'a dit que vous aviez laissé échapper quelques avertissements... » commençai-je.

« C'est exact : j'avais été prévenu par mes Supérieurs que mon séjour de Boston était proche de sa fin et que je devais prendre des mesures afin de régler les affaires concernant ma maison. »

« Est-ce pour cela que l'on soupçonnait Heddon d'en savoir plus long qu'il ne voulait bien le dire ? »

L'air un peu amusé, il fit un signe d'assentiment.

« Serait-ce très indiscret de vous demander pourquoi vous avez dû quitter l'Amérique ? » questionnai-je un peu timidement.

Il fixa sur moi son regard bleu et magnétique, puis, après un instant de réflexion : « Ne serait-ce pas une mère peu sensée, que celle qui porterait son enfant, alors qu'il devrait apprendre à marcher ? Et n'est-ce pas un Gourou peu sage, que celui qui demeure avec ses chélas, alors qu'ils devraient apprendre à lutter seuls ? »

« Etait-ce donc là la seule raison ! » m'exclamai-je fort surpris.

Il hocha la tête. « Il y avait plusieurs raisons, mon fils, se rapportant en partie à un Karma de groupe [1], en partie au magnétisme empoisonné qui est celui des grandes villes — tout spécialement aux Etats-Unis — et en partie, aussi, à mon propre développement. » Il croisa les bras sur sa poitrine et me regarda avec douceur. « Dans la préface de votre premier volume, vous disiez que certains Adeptes vivent et voyagent dans le monde comme des mortels ordinaires. C'est exact. Mais ce que vous avez omis de dire, c'est que, de temps à autre, il leur devient absolument nécessaire de se rendre dans un lieu de retraite, afin de réparer l'usure de leur corps physique aussi bien que la détérioration de leurs corps subtils résultant du contact avec les humains. Pour être tout à fait franc, les conditions de vie en Amérique sont, dans les temps actuels, si agitées et si dissolvantes, que mon Chef s'est catégoriquement refusé à me permettre d'y demeurer plus longtemps. »

« Mais pourquoi les conditions de vie seraient-elles pires en Amérique que partout ailleurs ? »

« Ah ! oui, pourquoi ? » — Il fit quelques pas de long en large dans la chambre. « Ceux qui instituent une loi bannissant une coutume nuisible excitent, chez les hommes, le désir de braver cette loi — et les inconvénients qui s'ensuivent peuvent être encore pires que le mal primitif. »

« Vous faites allusion à la Prohibition ? » hasardai-je.

« Précisément. L'usage de l'alcool est contraire au dévelop-

---

[1] Il y a des Karmas collectifs, de pays, de groupes… aussi bien que des Karmas individuels. *(Note de l'auteur.)*

pement des qualités intuitives et psychiques, qui sont à l'état latent chez le peuple américain. En conséquence, les Dévas nationaux [1] ont inspiré aux autorités l'idée de la Prohibition. Quel en a été l'effet ? — Justement parce qu'on leur demande de ne plus boire, il est devenu fashionable, parmi les hautes classes, de boire plus que jamais. Ajoutez à ce premier fléau les promiscuités sexuelles, les pots-de-vin, la subornation et la corruption, les violations de lois, l'état de rébellion, et bien d'autres tout aussi destructifs. Durant de longues années, j'ai enduré le magnétisme pernicieux engendré par de telles conditions de vie, m'adaptant à tout cela de mon mieux. J'ai même recouru, comme vous le savez, à l'habitude de fumer de façon presque excessive, en vue d'atténuer un peu mon extrême sensitivité, et par là même, j'ai attiré sur moi les ondes mentales chargées de blâme émanant des théosophes rigoristes et de bien d'autres personnes, qui — ajouta-t-il, avec un sourire indulgent — avaient lu ce détail dans votre livre... Cependant... »

« Oh ! si j'avais pu me douter, je me serais interdit de le mentionner ! interrompis-je. Mais vous nous aviez mis en garde, dans vos propres causeries, vous rappelez-vous, contre cette intolérance qui condamne l'habitude de fumer et d'autres innocentes manies... »

« Je ne me rétracte pas, repartit-il, écartant de la main un sujet qu'il jugeait insignifiant. Je vous explique simplement l'effort d'adaptation que j'ai dû faire. Il s'assit dans le fauteuil qui me faisait face. Le temps de ces accommodements est maintenant passé ; et, parce qu'un Jour nouveau commence à luire, qui requiert de nouvelles méthodes et un nouvel enseignement, j'ai reçu des Grands Esprits l'ordre de me retirer dans un lieu

---

[1] Grands Esprits qui veillent sur l'évolution des diverses races et nations, et les conduisent vers certains buts précis. *(Note de l'auteur.)*

solitaire pour y recouvrer mes forces et m'entraîner à l'œuvre nouvelle qui me sera dévolue. »

En cet instant-là, Sir Thomas rentra dans la bibliothèque.

« Si vous désirez vous retirer dans la Chambre Bleue, en voici la clef, » dit-il, en la tendant à mon Maître.

« Venez, » me dit ce dernier.

Nous longeâmes un long et spacieux corridor, orné de portraits ancestraux et atteignîmes une petite porte de style gothique.

Ayant tourné la clef dans la serrure : « Entrez » me dit-il.

C'était une petite pièce complètement nue, à part trois sièges de chêne sculpté à hauts dossiers, qui étaient placés en demi-cercle, face au plus merveilleux vitrail du XIIIᵉ siècle que j'eusse jamais contemplé. Les murailles et le plafond étaient bleus et chacune des parois comportait un panneau peint d'exquise façon. Il flottait dans l'air un faible parfum suggérant l'encens, bien que je ne puisse affirmer que c'en fût vraiment.

« Quelles couleurs splendides ! m'écriai-je, et quelle impressionnante atmosphère règne dans cette pièce... » — Il acquiesça avec plaisir, me désigna l'un des sièges et prit place dans le fauteuil contigu.

« Nous vivons, à présent, dans ce qu'on nomme le Cycle Obscur, commença-t-il, et votre ami l'astrologue peut vous en dire beaucoup de choses, si vous l'interrogez. »

« Vous connaissez donc Anrias, » demandai-je surpris.

« J'ai eu l'occasion de jeter les yeux sur lui. »

« Alors, comment se fait-il que *lui* ne vous ait jamais vu ? »

« Comment savez-vous qu'il ne m'a jamais vu ? »

« C'est qu'il ne me l'a jamais dit ! »

« Certaines gens savent tenir un secret... — son ton était gentiment ironique — ce qui, vous le savez, est l'A.B.C. de l'occultisme. — Mais je vous parlais du Cycle Obscur — le Cycle durant lequel *Siva*, le Destructeur [1], est en action. Ce Cycle a débuté en 1909 et ne se terminera qu'en 1944, bien que son influence doive aller s'affaiblissant jusqu'à cette année-là. Ses forces destructives furent responsables de la Grande Guerre et des bouleversements sociaux qui la suivirent. Mais ce qui nous intéresse particulièrement, ce sont ses effets sur la psychologie collective. Comme vous le savez, mes activités se sont concentrées principalement sur un groupe d'étudiants. Pendant longtemps je m'efforçai, à travers de grandes difficultés, de maintenir l'unité de l'ensemble ; mais, finalement, il échappa à mon contrôle. Tous ces élèves ont engendré ce qu'on appelle un « Karma de groupe » en négligeant, sur de nombreux points, de se conformer à mes instructions — ceci, vous n'étiez pas en position de vous en rendre compte — ce n'est que par la dissolution à la fois physique et psychique du groupe, ainsi que par ma retraite personnelle, opérée d'une façon qui vous a semblé cruelle, que je pouvais, grâce aux effets de la souffrance qui leur fut ainsi imposée, rendre mes chélas capables de liquider le Karma susmentionné. » Il me sourit et dit : « Comprenez-vous, maintenant, comment la cruauté peut n'être que de la bonté déguisée ? »

Je comprenais, cette fois, pleinement et le lui dis.

« Mais ce n'est pas tout, poursuivit-il ; comme les Gourous essayent toujours de « faire d'une pierre deux coups, » cette mesure devait aussi servir de *test* pour mes chélas : mettre à l'épreuve leur fidélité, leur foi, leur capacité d'agir par eux-mêmes. C'est surtout parce que vous avez bien soutenu l'épreuve que vous êtes ici ! »

---

[1] *Siva* précède l'action ou *Brahma*, en tant que « désir de vivre » ; il succède à *Vishnou* ou la connaissance, en tant que destructeur et régénérateur. Siva, en tant que désir, agit et réagit, attire et repousse. Les types martiens sont sous cet aspect-là du Logos. *(Note de l'auteur.)*

A ce moment-là je me rendis compte avec joie combien j'avais eu raison de rester fidèle au poste, en bannissant rapidement les doutes qui m'avaient assailli un instant.

Mais il avait encore des choses d'un intérêt profond à me dire.

« Au cours de ce Cycle Obscur, reprit-il, le Logos Planétaire ou Esprit de la Terre, expulse des poisons et les transmue, exactement comme les corps humains à certains moments expulsent et transmuent leurs toxines. Le résultat est une perturbation de l'*astral* collectif, c'est-à-dire du corps émotionnel de l'Humanité ; alors ceux qui n'ont pas encore acquis la maîtrise d'eux-mêmes se livrent à toutes sortes de promiscuités, à l'alcoolisme et même à de criminelles activités. C'est ce qui se produit actuellement — et sur une si vaste échelle, que la race et son développement en sont naturellement affectés. Si vous interrogez votre ami astrologue il vous dira que l'influence de Mars en est responsable ».

Moreward Haig regarda sa montre. « Et maintenant je dois vous quitter car j'ai quelques affaires à examiner avec notre hôte... Je vous propose de faire un tour de jardin, suggéra-t-il en m'escortant le long du corridor. Nous dînons à huit heures... A propos, ajouta-t-il, Sir Thomas préfèrerait que vous ne quittiez pas le domaine tant que vous résiderez ici. »

Avant que je pusse répondre il avait disparu.

CHAPITRE X

LES DISCOURS DU MAITRE

Quelle extraordinaire recommandation ! pensais-je, tandis que j'allais et venais dans l'air vespéral. Si elle eût émané de quelqu'un d'autre que de mon Maître, j'en eusse éprouvé une impression de malaise... Etre invité dans un manoir en pleine campagne — puis y être traité en prisonnier est étrange, pour ne pas dire plus. *Qui*, après tout, était ce mystérieux gentleman ? Car je me rendais subitement compte que j'ignorais jusqu'à son nom de famille ! Moreward Haig, en faisant les présentations, l'avait-il tu intentionnellement ? — Puis je m'aperçus que j'ignorais en somme aussi *où* j'étais... Nous avions dévoré des lieues et des lieues en auto... Je compris soudain que Sir Thomas avait des raisons précises pour vouloir que je ne connusse pas la situation de son domaine et pour m'enlever, en conséquence, toute possibilité de m'orienter. Oui, mais quelles étaient-elles ?

Renonçant aux hypothèses, je me demandai alors quel était le genre de lien qui unissait Moreward Haig et Sir Thomas. Puis je pensai plus spécialement à mon Maître. Pour la première fois, depuis que je le connaissais, je lui trouvais l'air un peu fatigué. A part cela, pas le moindre changement dans son extérieur ; mais sa manière de se conduire était autre. Il avait complètement laissé tomber son genre américain et était redevenu le Moreward Haig que j'avais connu bien longtemps auparavant, avec sa dignité d'allure un peu victorienne et cette légère touche de cérémonie qui prêtait jadis tant de charme à la vie... mais est, hélas, bien morte aujourd'hui !

Après avoir flâné quelque temps, perdu dans mes réflexions, j'entendis le son d'une cloche annonçant sans doute l'heure de faire toilette en vue de la soirée. Je montai dans ma chambre et me changeai pour le dîner.

* * *

La salle à manger lambrissée de chêne était ornée de précieuses peintures, dont l'une était de Van Dyck.

Nous étions sept personnes à table. Outre Sir Thomas et Moreward Haig, il y avait encore là trois hommes et une dame mûrissante, qui prit place à l'un des bouts de la table faisant face à notre hôte, auquel elle s'adressait en disant : « Mon oncle ». Une fois de plus, les présentations ne comportèrent aucune révélation des noms véritables. Sir Thomas avait endossé un habit de velours qui lui donnait l'air à la fois pittoresque et imposant.

Le repas était entièrement végétarien ; on ne servit pas de vin et après le dîner, personne ne fuma. Qui que pût être Sir Thomas, il fallait évidemment voir en lui un occultiste. Il était, en outre, un homme de peu de mots ; mais lorsqu'il parlait, c'était avec autorité, et tous interrompaient leurs entretiens privés pour l'écouter.

J'oublie comment le sujet de la Science Chrétienne vint sur le tapis ; mais je l'entends encore me déclarant : « *Christian Science* — hum ! Effective, oui — mais seulement pour des

Egos indolents, qui désirent n'avoir plus de mauvais Karma à subir dans leur présente incarnation. »

« Très exact » dit J. M. H.

« Un malade est miraculeusement guéri du cancer, poursuivit Sir Thomas, tandis qu'un autre cancéreux meurt — moins miraculeusement ! Le premier malade est, spirituellement, un faible, à qui il a été accordé de faire sa propre volonté ; le second malade — une personnalité que domine l'Ego [1]. »

« Et ceci ne s'applique pas seulement aux malades, dit J. M. H. Combien de gens ont désiré se vouer à telle ou telle profession, mais se sont sentis contraints de faire quelque chose de tout différent ! C'est là l'influence de l'Ego, car un Ego puissant vise toujours au progrès et, pour cela, suit la ligne qui exige *le plus* de résistance. »

« Oui, en vérité, acquiesça Sir Thomas, sages sont ceux qui suivent les ordres de leur propre Ego, au lieu de se regimber contre les aiguillons. Là est la cause du malheur de la moitié des gens de ce monde... »

Je pensai à Chris, dont la personnalité devait avoir été si parfaitement alignée sur son Ego — pour que sa vie difficile et privée de liberté pût lui apparaître aussi riche de joie !

Sir Thomas demeura un grand moment silencieux, bien qu'il sourît de temps à autre, ou parfois soulignât une remarque d'un hochement de tête approbateur. Malgré son silence, je ne pouvais m'empêcher de regarder continuellement de son côté, et plus je le regardais, plus je le trouvais remarquable et attirant. Une fois de plus je me surpris à me demander *qui* il pouvait bien être. Etait-il possible qu'il fût l'un des Maîtres anglais et que J. Moreward Haig eût été son chéla ?

---

[1] L'*Ego* (le Moi immortel) est employé ici en opposition avec la *personnalité*, l'être tel qu'il se présente ici-bas. (*Note de l'auteur.*)

Bientôt la conversation se porta sur le terrain politique. Ignorant de mainte question, je ne saurais en rendre compte de façon complète, mais un ou deux points se sont fixés dans ma mémoire.

« Les Nations, disait Moreward Haig, n'ont pas voulu apprendre ce que leur enseignaient des guerres sanglantes ; elles sont maintenant forcées d'acquérir la notion de leur interdépendance par le moyen des luttes financières, que suscitent de toutes parts les Grands Esprits, dans le dessein de faire comprendre aux dictateurs du monde économique que la Fraternité est *un fait de nature*, et non pas une vague théorie pour idéalistes. »

« Les premiers principes de la Fraternité, que le Christ prêcha il y a deux mille ans, dit à son tour Sir Thomas, on les ignore, parce que trop simples et peu coûteux ; la banqueroute qui vous tire fâcheusement de votre quiétude, est plus effective... » Il sourit à part lui. « Quelques-uns s'instruisent par la philosophie ; mais le grand nombre n'apprend quelque chose que lorsque son portemonnaie est touché. »

Tout le monde rit, appréciant ses tournures de phrases pleines d'humour et de causticité.

« Le patriotisme du genre sentimental ou Jingo, déclara Moreward Haig (celui de *Rule Britannia* ou de *Deutschland über Alles*) devra se « sublimer » en un sincère désir de coopération internationale. La Finance devrait être, et deviendra par la suite internationale. De plus, le temps ou l'on acquérait de nouvelles colonies est passé... »

« Plus beaucoup de mondes à conquérir, remarqua Sir Thomas : terres conquises, mers conquises, air conquis — l'Homme en sera réduit à conquérir le monde invisible, en dirigeant sa conscience vers le *dedans* — non plus vers le dehors. »

« Et quel sera le rôle de l'art ? » demanda l'un des jeunes gens.

« Seules ses formes les plus hautes — celles qui incarnent de grands concepts spirituels, survivront finalement répliqua Sir Thomas. L'œuvre d'art née de l'habile médiocrité est par avance vouée à la corbeille à papier ; n'étant soutenue par aucune inspiration élevée et nourrie de maniérisme, elle dépérira, faute d'aliment. »

Nous étant levés de table, nous nous rendîmes dans la galerie, où brûlait, presque trop violemment, un immense feu.

« *Tut — Tut* — fait le vieux monsieur. Mes domestiques ont-ils donc envie de me brûler tout vif ! »

Avec une remarquable agilité, étant donné son âge, il va jusqu'au fond de la galerie, d'où il rapporte un lourd écran, qu'il veut placer devant la cheminée. J'offre aussitôt mon assistance qu'il refuse. Il s'assied ensuite dans un fauteuil et ensevelit son visage dans un grand volume relié de cuir. Deux des jeunes gens présents jouent aux échecs, tandis que le troisième les regarde. Notre hôtesse fait des patiences, en sorte que J. M. H. et moi avons tout le loisir de causer. Au bout d'un moment, mon Maître me propose un petit tour au dehors et nous arpentons la terrasse au clair de lune.

« Quel *très* sympathique vieux gentleman ! fut ma première remarque. Mais c'est étrange d'accepter l'hospitalité de quelqu'un sans avoir la moindre idée de son nom... »

« Celui qui ne *sait pas* est du moins dispensé de mentir lorsqu'on lui pose des questions » fut sa réponse ; et après cela, je n'osai plus aborder le sujet.

« Lyall Herbert arrive ici demain », daigna-t-il m'apprendre après un silence.

J'en étais très heureux et le lui dis. Il ne me semblait pas très juste d'être le seul à connaître la bonne nouvelle de sa réapparition.

« Et Toni Bland ? dis-je. Je suppose que vous savez les durs moments qu'il traverse ? »

« En effet. »

« Vous le verrez, sans doute ? »

« Non », dit-il.

Je restai interloqué. « Mais songez à ce que cela représenterait pour lui, de vous voir ! » ne pus-je m'empêcher de dire.

Il sourit un peu tristement. « La compassion elle-même doit se tempérer de sagesse. Si je venais en aide à Toni Bland, en ce moment-ci, je retarderais son évolution pour de longues années. »

« Comme cela paraît étrange... »

« L'action du Karma est toujours étrange. Mais ce que l'Ego d'un homme lui commande de faire ne doit pas être modifié, même par son Gourou. De même qu'il y a, dans le monde du snobisme, des ascensionnistes follement téméraires, ainsi l'on peut, dans le monde occulte, opposer aux « indolents » spirituels de Sir Thomas des « grimpeurs spirituels ». Toni est l'un de ces derniers — et il doit grimper *seul*. »

« Mais ne pourriez-vous, du moins, lui apporter quelque réconfort ? »

« Le médecin administrera-t-il un narcotique en vue d'endormir la douleur du malade, lorsqu'il sait que cela ne peut qu'entraver sa guérison ? » — Il se tut un moment, puis ajouta : « C'est en ne les aidant *pas du tout*, que l'on aide le mieux certaines gens. Les encouragements ne sont qu'une forme subtile d'aide temporaire... »

« Et ma femme ? » questionnai-je.

« Elle, aussi, est une « grimpeuse spirituelle, » et c'est pour cela qu'elle doit accepter d'être une malade. Les médecins peuvent l'aider quelque peu — mais l'heure de sa guérison n'a pas encore sonné. Elle progressera au travers de la souffrance, et *vous* progresserez en même temps par la patience. Dans une vie antérieure, elle vous a soigné ; dans cette vie-ci, c'est à vous de la soigner : et faites-le bien, mon fils ! »

« Ce que je voulais savoir, c'est si vous avez l'intention de la voir, elle ? »

Il hocha négativement la tête. « Je ne ferais qu'empirer les choses, si je la voyais. »

« Je ne puis réellement comprendre cela ! » m'écriai-je, sachant à quel point Viola serait déçue...

« Si vous compreniez tout, il ne vous resterait plus rien à apprendre. Et cependant... si vous désirez absolument le savoir, vous pouvez interroger votre ami ? »

« Vous voulez dire Anrias ?

« Oui. »

« Jugez-vous que ce soit quelqu'un de tout à fait sûr ? dis-je. Je ne pense pas à son astrologie, mais à ce pouvoir « d'accorder » ses vibrations à celles des Maîtres. Il faut être si prudent. »

« Les clairvoyants qui n'ont que le don de *vision* sont aptes à s'illusionner, répondit-il. Mais vous pouvez ajouter foi aux dires de celui qui sait distinguer un type de vibration d'un autre. Oui, vous pouvez faire confiance à votre Anrias. »

Nous quittâmes la terrasse pour suivre le dédale des sentiers inondés de lune, en travers desquels les arbres jetaient d'étranges ombres. J'aurais eu encore bien des questions à poser ; mais je sentais que mon Maître était d'humeur méditative et je ne voulais pas interrompre ses réflexions. L'air était très frais et je frissonnai. « Allons, rentrons ! » dit-il enfin.

Comme nous pénétrions dans la galerie, les deux jeunes gens venaient de terminer leur partie d'échecs et Sir Thomas était debout près d'eux, le doigt tendu vers l'échiquier.

« Gênant compagnon, que ce Cavalier », observa-t-il. Vous auriez dû le prendre avec la reine cinq coups plus tôt. »

« Mais sa Tour était au chemin », objecta le perdant.

« *Tut* — *Tut* — Vous auriez dû supprimer la Tour avec un pion deux coups avant... Bonne nuit ! » fit-il abruptement, en nous saluant de la main — et il disparut.

« STAR BULLETIN », Septembre 1931

QUESTION : *Vous dites que la Vérité ne peut être atteinte que par l'effort individuel, mais que le travail doit être collectif et organisé par quelque autorité. La Fraternité Occulte des Adeptes est un groupe d'hommes qui, comme vous, sont exempts de toute limitation et sont parvenus à la Vérité ; qui, comme vous, ont entrepris une œuvre de leur choix, visant au bien général de l'Humanité. Par des méthodes dont on sait fort peu de choses, mais qui sont extraordinairement efficaces, ils inspirent de grandes réformes dans tous les domaines de la vie et du travail. Leur coopération est totale, leur organisation parfaite. Ils reconnaissent un Chef absolu — mais sont, dans la vie, absolument libres —. Un pareil mode d'existence semble être l'issue logique de votre enseignement. Contestez-vous qu'il en soit ainsi ? — Ou bien votre critique vise-t-elle plutôt la confusion, que fait le public, entre la Vérité et le Travail organisé pour le service de l'Humanité ?*

KRISHNAMURTI : *Tout d'abord, vous devez comprendre ce que j'entends par « travail collectif et organisé ». Vous déclarez qu'il existe une Fraternité occulte qui organise le travail consacré au progrès et au bien-être de l'Humanité. Prétendre qu'il y a des hommes possédant la Connaissance et ayant « réalisé » la Vérité qui, en vertu de cette Réalisation, usent de méthodes dont vous dites que l'on sait fort peu de chose, choisissant des agents et messagers spéciaux pour l'accomplissement de leur œuvre et inspirant des organisations dignes de confiance — cette affirmation est, à mes yeux, basée sur une illusion, qui conduit à l'exploitation de l'homme « pour son bien »... »*

CHAPITRE XI

LA VÉRITÉ SUR KRISHNAMURTI

Un concert de milliers de chants d'oiseaux m'éveilla le matin suivant et, jetant les yeux au dehors, j'aperçus la tache claire d'un champ de jonquilles que la rosée matinale faisait étinceler au soleil. Mais si je suis un homme matineux, Sir Thomas m'avait pourtant devancé, car je l'aperçus, coiffé comme d'habitude de sa petite calotte, et longeant un sentier bordé d'une large plate-bande de fleurs. Parfois, il se penchait pour examiner de plus près l'une d'elles, ou pour caresser le grand chien qui marchait gravement à son côté. Il fut bientôt rejoint par sa nièce, qui lui donna un baiser tandis qu'il lui tapotait affectueusement la joue ; puis, marchant ensemble le long du sentier, ils parvinrent à un tournant où je les perdis de vue.

Il y avait encore une bonne heure et demie jusqu'à l'heure du déjeuner ; aussi m'habillai-je tout à loisir. Puis, suivant l'exemple de mon hôte, je gagnai à mon tour le jardin. Je me sentais très attiré vers le vieux gentleman, et j'avais l'espoir de le rencontrer. Mais, en même temps, je craignais de l'importuner dans sa retraite. Je devais de toute façon être déçu, car je ne l'aperçus pas jusqu'à l'heure du lunch.

Ce lunch est demeuré pour moi un souvenir mémorable. Nous ne nous trouvions que quatre à table: Sir Thomas, Moreward Haig, moi-même et l'un des jeunes gens. Ce dernier eut quelques minutes de retard et n'apparut que lorsque nous étions tous assis : il avait à la main le *Star Bulletin* de Krishnamurti. Il l'ouvrit et le tendit à Sir Thomas, en lui indiquant un certain passage... Le vieillard lut, ne daigna faire aucun commentaire, à part son peu compromettant *Tut-Tut*... il passa la revue à J. M. H. qui, l'ayant regardée, eut un sourire significatif à l'adresse de Sir Thomas et la mit de côté. Mais j'étais résolu à ne pas laisser échapper une telle occasion ! Enfin, j'allais être à même d'entendre une opinion autorisée sur la question si troublante de Krishnamurti ! —

« Le *Star Bulletin* ! Je le lis aussi moi-même... Malgré cela, comme vous voyez, ajoutai-je en souriant, je crois toujours aux Maîtres ! »

« Je suis heureux que *quelqu'un* y croie, remarqua Sir Thomas, avec une bonhomie ironique. Ah! mes amis, si les idées de Krishnamurti étaient universellement admises, plusieurs d'entre nous pourraient tout aussi bien se transporter dans une autre planète. »

Immédiatement je dressai l'oreille et regardai mon Maître, qui se contenta de dire à demi-voix : « *Many a true word...* » me laissant achever mentalement cet aphorisme. [1]

« Je crois comprendre, Sir Thomas — me risquai-je à dire — que vous n'approuvez pas entièrement les méthodes de Krishnamurti ? »

« Malheureusement, il n'a pas de véritable méthode, depuis qu'il a pris l'initiation d'*Arhat* et qu'il a cessé d'être le médium

---

[1] *Many a true word is spoken in jest* (« Mainte plaisanterie cache une vérité ») Citation de Shakespeare. (*Note de la traductrice.*)

du Seigneur Maitreya. [1] Mieux eût valu, à ce moment-là, qu'il se retirât de la vie publique pour méditer dans la solitude, ainsi que les Arhats des temps anciens. »

« Je suis un peu dans le vague, au sujet de cette initiation d'Arhat... » susurrai-je à mon voisin de table.

« C'est l'initiation au cours de laquelle le Maître retire toute espèce de direction à l'élève, qui peut avoir à résoudre les plus graves problèmes sans être autorisé à poser une seule question, expliqua-t-il. Il doit se fier uniquement à son propre jugement et, s'il commet une erreur, en supporter les conséquences. »

« Mais que fit alors Krishnamurti ? intervint notre hôte, qui avait évidemment saisi cette digression. -- « Ce qu'a coutume de faire le serviteur qui sait qu'on est sur le point de le congédier — et se hâte de donner lui-même son congé : en d'autres mots, il rompit tout rapport avec la Loge Blanche et répudia chacun d'entre nous. »

« Bien malheureusement, ajouta J. M. H., il induisit à agir de même un certain nombre de gens inférieurs à lui dans le domaine de l'évolution spirituelle. De plus, au lieu de diffuser la Doctrine nouvelle dont le monde avait un si immense besoin, il échappa aux responsabilités de sa mission de Prophète et de Maître, en revenant, spirituellement parlant, à une incarnation passée, c'est-à-dire à cette ancienne philosophie de sa race qui vous est familière, mais qui s'avère tout à fait inutile, dans le présent Cycle et pour le Monde Occidental.»

[1] Le Seigneur Maitreya est Celui qui, tous les 2000 ans, accomplit son office de Maître du Monde, en *adombrant* un être très pur, doué du pouvoir médiumnique et spécialement préparé à sa mission, qui est de répandre l'Enseignement nouveau propre au développement futur de l'Humanité. La dernière fois, il y a 2000 ans, le Maître du Monde s'est incarné en la personne de Jésus de Nazareth, qui se sacrifia, dans ce dessein, à l'âge de trente ans. — Un destin similaire avait été prévu pour Krishnamurti. *(Note de l'auteur.)*

« Alors, nous avions donc raison ! m'exclamai-je. C'est bien la philosophie de l'*Advaita* ? »

Il me fit signe que oui.

« Cependant, le public auquel il s'adresse s'imagine qu'il reçoit un Message nouveau et, comme tel, ce Message l'impressionne trop fortement, dit à son tour Sir Thomas. Le Message que Krishnamurti devait apporter, il ne l'a pas délivré, ou n'en a délivré qu'une partie : rien qui touche à l'Art ; nul plan concernant la nouvelle sous-race ; nul programme éducatif. En lieu et place de tout cela, l'*Advaita* — une philosophie pour chélas et l'une des voies de Libération les plus fréquemment mécomprises. »

« Faut-il donc admettre, hasardai-je, que la mission de Krishnamurti est une faillite totale ? »

« Ami, dit le vieux gentleman, vous posez beaucoup de questions... Quel usage ferez-vous de nos réponses, si nous vous contentons ? »

J'avais grande envie de me confondre en excuses... Mais, au lieu de cela, je me sentis poussé à exprimer ce que j'avais au fond de l'esprit. « Sir Thomas, répliquai-je, à cause de Krishnamurti bon nombre de gens sont dans une grande détresse ; si vous vouliez être assez aimable pour m'éclairer un peu sur ce sujet, je serais peut-être à même de les éclairer, *eux*. »

« Bon ! s'écria-t-il. Le mobile est pur : il sera répondu à vos questions. »

Je voulus lui exprimer ma gratitude, mais il s'en défendit d'un geste gracieux de la main et reprit : « Celui qui, essayant d'enseigner l'Advaita, néglige de se servir des termes du sanscrit, se condamne déjà par là à l'insuccès. Les mots sanscrits engendrent une vibration occulte qui se perd dans la traduction. Les termes occidentaux ne se prêtent pas à la description d'états de conscience subjectifs, leurs associations d'idées étant pour la plupart trop terrestres. — Il se tut un instant pour achever son lunch, puis il ajouta : « Mon frère Kout Houmi a très justement dit que Krishnamurti avait détruit les nombreux escaliers qui menaient à Dieu, tandis que le sien propre demeurait incomplet... »

« Et ne saurait nullement convenir à tous les type d'âmes humaines » ajouta mon Maître.

« ... donc incomplet, reprit Sir Thomas, suivant son idée, et ceci peut conduire ceux qui tentent de le gravir à des dangers inattendus. Danger numéro un : Krishnamurti, ayant rejeté des définitions et classifications consacrées par le Temps, laisse ceux qui aspirent à la vie spirituelle sans aucune véritable échelle des valeurs. Danger numéro deux : gravir un chemin personnel nécessite une méditation presque constante, laquelle à son tour exige la constante protection d'un Gourou — or le Gourou n'est pas admis par Krishnamurti », conclut-il, avec un malicieux clin d'œil.

« Mais, demandai-je, la protection d'un Gourou est-elle *toujours* nécessaire pour la méditation — je veux dire lorsqu'elle est pratiquée à petites doses ? »

« Naturellement un degré modéré de méditation peut se pratiquer en toute sécurité sans Gourou, répliqua Moreward Haig. Comme le dit Sir Thomas, la méditation longuement prolongée mène à certains états de conscience et à des évasions sur d'autres « plans » qui rendent la direction d'un Maître absolument indispensable. Un autre défaut de ce pseudo-Advaita que prêche Krishnamurti, c'est qu'il s'adresse à la « personnalité » (à l'homme sur le plan physique) tout comme s'il était la Monade ou, du moins, l'Ego. Sans doute que la Monade est la divine Etincelle, est l'Existence, la Connaissance et la Félicité absolues — et par conséquent éternellement

libre ; mais il ne s'ensuit pas que la « personnalité » vivant ici-
bas sous l'oppression de difficultés karmiques qui semblent
ne devoir jamais finir, soit à même de partager cette Conscience
absolue de la Monade — ni même celle de l'Ego, qui constitue
le lien entre la « personnalité » et la Monade. L'Advaitisme de
Krishnamurti, qu'il ne faut pas confondre avec la forme reconnue de cette noble philosophie, ne peut, je le crains, mener ses
adeptes nulle part — si ce n'est, peut-être, à l'hypocrisie et
au manque de sincérité envers soi-même. »

Sir Thomas eut un hochement de tête approbateur. « Et,
dit-il, après les avoir incités à répudier tous les Maîtres, il se
refuse, lui-même, à être leur Gourou. »

Le vieux gentleman demeura un moment silencieux, puis
il hocha mélancoliquement la tête. « Des enfants criant dans
l'angoisse de la nuit spirituelle — et personne pour les réconforter... Celui qui pourrait leur venir en aide s'y refuse et nous,
qui voudrions les secourir, nous sommes impuissants, car le
Doute a empoisonné leur croyance en notre existence même.
Rien d'étonnant que le visage de Kout Houmi soit un peu
triste ! »

Il se tourna vers son grand chien lequel, avec une admirable
dignité canine, était demeuré, durant ce long entretien, parfaitement immobile, la tête levée vers son Maître. Celui-ci
dit en le caressant : « Mon bon ami, si le Roi lui-même te
disait que ton Maître t'est inutile, je suis sûr que tu ne le croi-
rais pas, hein ? »

Le chien, remuant la queue, se pressa de touchante manière
contre le genou de Sir Thomas. L'ensemble formait un tableau
que je n'oublierai jamais : la salle lambrissée de chêne, avec
ses tableaux anciens, la longue table de réfectoire, le soleil
brillant à travers les petites vitres en losanges de la croisée —
enfin l'impressionnant et attirant vieillard, coiffé de sa petite

calotte de velours et son grand chien à ses côtés... Je me sentais transporté dans un monde où les moteurs hurlants, le tumulte et les agitations ne sont plus qu'un lointain cauchemar... Et cependant, dans cette atmosphère et ce cadre d'une sérénité désuète, des pouvoirs invisibles travaillaient, contrôlant et dirigeant les plans de l'Humanité. Combien je me sentais honoré que Sir Thomas eût montré suffisamment de confiance en moi pour ne pas me dissimuler plus longtemps qu'il était un Maître !

Le domestique était entré, apportant le second service, puis s'était retiré. J'avais remarqué qu'il ne paraissait jamais sans y être invité par la sonnerie électrique, dont le bouton se trouvait à portée de la main de Sir Thomas. Evidemment, même aux repas, l'entretien était fréquemment de nature trop importante pour être entendu.

J'avais encore quelques questions à poser au sujet de Krishnamurti, mais j'étais embarrassé de savoir comment les « placer » sans paraître trop indiscret.

« Me pardonnerez-vous, dis-je à mon hôte, si je reviens au sujet que nous discutions ? »

« Quoi ! Des questions encore ? répliqua-t-il avec une feinte sévérité ; vous nous présenterez sous peu un dictionnaire. Eh bien, allez-y ! »

« Vous vous rappelez peut-être que je vous ai demandé si la mission de Krishnamurti devait être considérée comme un complet échec ? »

« C'est juste. On peut dire qu'elle fut une réussite tant qu'il fut adombré par le Maître du Monde, mais plus tard, une faillite. Il fit de bon travail en enseignant aux gens à user de leur propre jugement, et en leur faisant comprendre... — Il s'arrêta, faisant signe de la main à Moreward Haig — Allons, allons, dit-il malicieusement, il s'agit de votre chéla et vous laissez le vieux Monsieur faire tout l'ouvrage ! »

« Il est mieux entre vos mains qu'entre les miennes, » dit mon Maître en riant. Néanmoins il expliqua à son tour : « Krishnamurti est venu pour briser le vieil ordre de choses, en prévision de l'ordre nouveau. Mais il a démoli beaucoup trop d'éléments du passé et il n'a rien préparé pour l'avenir. Néanmoins l'ordre ancien n'est plus et ne saurait être ressuscité. Le temps de l'aveugle obéissance à des chefs est également passé — le salut ne saurait être obtenu par le seul culte rendu à des personnalités dont on accueille chacune des paroles comme un évangile ; car accepter n'est pas nécessairement comprendre. Même un Etre aussi grand que Bouddha, disait : « Ne croyez jamais une chose simplement parce que je vous la dis ! »

« L'on peut définir Krishnamurti comme un précurseur dont ce Cycle particulier avait besoin, mais non pas comme le Maître du Monde. Et Sir Thomas ajouta : Nous n'attendons pas le Maître du Monde avant la fin de ce siècle. »

« Mais pourquoi, même un précurseur... » commençai-je.

« Qui peut s'arroger le droit de juger quelqu'un sans connaître ses difficultés ? m'interrompit Sir Thomas. Toute qualité a forcément son revers. Ai-je besoin de vous demander si vous avez entendu *Parsifal* ? Non, car vous aimez, comme moi, passionnément la musique. Krishnamurti a la noble simplicité d'un Parsifal : ayant atteint, lui-même, un certain état de conscience et d'évolution, il ne sait pas voir, dans sa modestie, que les autres sont très loin d'y être parvenus. C'est pourquoi il leur prescrit ce qui ne convient qu'à lui-même. »

Se levant de son fauteuil à haut dossier : « Viens, dit le vieillard à son chien, allons faire un tour de jardin et présenter nos respects aux jonquilles avant que mon visiteur arrive. A quatre heures, dans la bibliothèque, » dit-il à l'adresse de Moreward Haig — et il sortit.

CHAPITRE XII

J. M. H. TRAITE DE DIVERS SUJETS

Après le déjeuner, mon Maître m'emmena dans la direction du Lac-aux-Nénuphars. C'était, au fond du jardin, une retraite solitaire, entourée de fusains. Lieu charmant pour l'ouïe autant que pour la vue, car un ruisseau dégringolant à travers les pierres moussues y faisait entendre une délicieuse musique. En face de l'étang un banc de pierre ; là nous nous assîmes, contemplant les larges feuilles plates des nénuphars au-dessus desquels un couple précoce de papillons jaunes voltigeait dans la lumière du soleil. Une atmosphère de paix céleste planait sur ce lieu, et Moreward me dit que Sir Thomas y venait fréquemment méditer.

Nous restâmes longtemps silencieux ; mon Maître semblait perdu en de profondes songeries, puis il fit soudain un geste comme pour rappeler son esprit au monde de la matière.

« Souvenez-vous bien de tout ce que vous avez entendu au lunch, dit-il ; c'est plus important que vous ne pouvez le soupçonner. Plus tard, vous comprendrez pourquoi. »

Je l'assurai qu'il n'y avait pas le moindre danger que j'oubliasse.

« Très bien, dit-il ; et, maintenant, demandez-moi tout ce qui vous vient à l'esprit. Le temps nous est compté. »

Je brûlais d'envie de lui demander quantité de choses relatives à lui-même, mais je réprimai ce désir : de telles questions eussent révélé une curiosité par trop personnelle. Quelque chose en moi me disait de me borner aux questions importantes, touchant des problèmes immédiats. Tout ce que je venais d'entendre m'avait grandement éclairé, mais différents points me troublaient encore.

« Eh bien ! — et il me regarda avec un sourire — ces questions sont-elles si difficiles à formuler ? »

« Oui — si je veux le faire avec concision. Voici... Au siècle dernier, les Maîtres donnèrent, par l'entremise de leur médium, H. P. Blavatsky, certains enseignements destinés à stimuler l'évolution du monde, n'est-il pas vrai ? »

« Tout à fait vrai. »

« Ils se servirent d'elle et de la Société Théosophique pour faire comprendre à l'humanité la réalité de leur existence... »

« Tout à fait juste. »

« De nos jours ils ont, paraît-il, choisi un autre médium qui, *lui*, a tranquillement répudié la Société Théosophique et les Maîtres eux-mêmes, taxant en outre de la façon la plus ingrate, tout ce qui touche à l'adombrement et aux pouvoir médiumniques, de simple « exploitation ». Que signifie cela ?... »

« Cela signifie que les Maîtres ne sont ni omnipotents, ni omniscients, répliqua Moreward. Pour réaliser leurs desseins, ils doivent se contenter du meilleur instrument qu'ils peuvent trouver sur le moment : mais ils ne sauraient être certains, par avance, de la réussite de leur expérience. Si pur que puisse être le médium, il aura souvent à lutter avec toutes sortes de difficultés extérieures qui étaient imprévisibles. Si, par exemple, ce médium est jeune et beau, il sera souvent gêné et entravé par l'adoration et les adulations des femmes, leurs jalousies, etc. — et plus il sera de tempérament sensitif, plus ces démonstrations agiront sur lui de façon dissolvante. »

Il s'arrêta un instant, puis prononça gravement : « L'expression de l'amour exige peut-être plus de sagesse que quoi que ce soit d'autre. Savoir quand et comment aimer, demande le plus extrême discernement. Si Krishnamurti n'a pas accompli ce que nous avions espéré, la faute n'en est pas complètement à lui... »

« En fait, poursuivit-il, avec une inflexion de voix différente, ce ne sont pas les hommes, mais les femmes, qui font les meilleurs médiums pour le service des Grands Etres. C'est pourquoi H. P. Blavatsky et Annie Besant ont revêtu des corps féminins. La constitution des hommes les destine plutôt à être des occultistes, celle des femmes à servir de médiums. De par sa nature même, la femme (c'est-à-dire, en l'espèce, ses véhicules supérieurs) se plie plus volontiers que l'homme à la volonté d'un Maître. — Moreward avait ramassé une feuille qui gisait à terre, et sa main jouait nonchalamment avec elle... « En somme, tout ce qui touche aux pouvoirs médiumniques du type supérieur est chose extrêmement délicate et compliquée. Seul celui qui est venu à bout de ses désirs personnels et qui a acquis la maîtrise de soi, peut être réellement le médium *consentant* dont se servent les Maîtres. Ces médiums-là font l'expérience de l'*extase* — comme ce fut le cas de votre amie qui est morte ... Les médiums *non-consentants* ont toujours l'impression d'être exploités et éprouvent un sentiment de frustration. Krishnamurti fut d'abord un médium non-consentant ; et ce n'est que parce que le monde offrait de si angoissantes perspectives, que le Seigneur Maitreya tenta, sur lui, l'expérience de l'*adombrement*. » — Le Maître se pencha pour caresser un rouge-gorge qui sautillait sans crainte autour de son pied. Un instant, le petit oiseau se percha sur son doigt, battit allègrement des ailes — et s'envola. J'allais faire une remarque sur ce charmant tableau, lorsque Moreward se tourna vers moi et reprit :

« On ne saurait trop insister sur ce que les Grands Etres sont limités dans l'exercice de leur puissance sur le plan *physique :* limités d'abord par le Karma personnel des humains qu'ils voudraient aider — Karma qu'il n'est pas en leur pouvoir de supprimer ; limités ensuite, des plus sérieusement, par cette vague de Doute toujours grandissante, qui détruit les liens mêmes assurant le secours des Plans supérieurs aux plans inférieurs. Il n'est pas exagéré de dire que toute âme qui perd la foi en les Maîtres affaiblit la manifestation de leur force ici-bas. Certains ont perdu la foi parce qu'ils s'imaginaient que les Grands Etres avaient les mains absolument libres, dans l'exécution des plans formés pour le bien de leurs chélas ou de l'humanité en général ; mais leur fidélité a faibli aussitôt qu'ils ont vu que ces plans ne se réalisent pas toujours. D'autres, dont l'esprit est perplexe et troublé, se sont laissés aller, peu à peu, à penser que Ceux dont ils attendaient autrefois aide et direction, sont des figures purement mythiques. Ainsi les uns doutent de l'existence des Maîtres parce qu'ils n'ont pas eu des preuves tangibles de leur pouvoir, les autres parce que l'ensemble de leurs points de vue a été faussé. Quoiqu'il en soit, les uns et les autres : ceux dont la foi fut ébranlée par ce qui semble être nos « échecs » et ceux chez qui elle fut détruite par de trompeuses doctrines — peuvent être assurés que, malgré les limitations imposées aux Maîtres dans le monde visible, leur Amour et leur Compassion ne seront jamais en défaut... Bien qu'il ne leur soit pas permis de délivrer miraculeusement de leur fardeau les souffrants et les faibles, ils seront toujours heureux de communiquer leur force spirituelle à ceux qui ont encore assez de foi pour y faire appel... »

Il y eut un long silence, interrompu seulement par le chant d'une grive printanière, perchée sur un arbre voisin.

Je réfléchissais à ce que mon Maître venait de me dire, et ne pus m'empêcher de lui demander quel serait, en dernier ressort, l'aboutissement de tout cela. « Voyez-vous, dis-je, la difficulté pour combattre ces doutes et l'angoisse qu'ils ont engendrée, c'est que les gens s'imaginent ne pas avoir le droit de critiquer un être qu'ils ont pris pour le Maître du Monde... »

« ... et qui leur enseigne *maintenant* que nul être, si grand soit-il, n'est en mesure de leur apprendre quoi que ce soit ! » acheva Moreward Haig.

« Ce sont les termes mêmes que Toni Bland a employés ! » m'écriai-je avec surprise.

« C'est moi qui les lui avais inspirés », répliqua-t-il tranquillement.

« Vous... vous pouvez impressionner ainsi Toni à distance ? »

« Pourquoi pas ? fit-il, souriant ; je l'ai entraîné, durant des années, à devenir réceptif à l'endroit de ma pensée. »

« Cela explique tout, alors ! Il nous « sortait » souvent les choses les plus lumineuses... Et Viola était également si attirée vers lui ! »

J'étais vraiment stupéfait de ma découverte. Toni ne m'avait pas soufflé mot de cela. Mes pensées se reportèrent à ce jour où il était venu, pour la première fois, prendre le thé chez nous. « Mais pourquoi vous êtes-vous donné la peine de l'*impressionner* justement en cette occasion ? ne pus-je m'empêcher de demander. Il n'y avait là que Mrs. Saxton et... »

Il me coupa la parole. « Mrs. Saxton a-t-elle retiré du bonheur, ou quelque bénéfice spirituel de sa répudiation des Maîtres ? »

« Je crains bien que non », dis-je en riant.

« Il y a un certain nombre d'années, vous m'aviez prié d'aller avec vous la voir... Et pourquoi ? »

« Oh !... Eh bien, je pensais que vous seriez à même de l'aider un peu. Mais je crains qu'elle ne soit un cas désespéré. »

« Si vous voyiez un chien aveugle marchant tout droit vers un précipice, — si insignifiant et peu attrayant qu'il puisse être — ne chercheriez-vous pas à l'arrêter ? »

« Certainement ! »

« Eh bien, j'ai seulement tenté d'empêcher cette femme de courir au précipice... bien que sans grand espoir de succès », ajouta-t-il.

Subitement une autre femme, que Moreward avait secourue, me revint en mémoire. « A propos, dis-je, dans le premier livre que j'ai écrit à votre sujet... »

« Oui, et bien ? »

« Vos remarques sur la jalousie — ou plutôt sur la *non*-jalousie... je crains que certaines personnes ne les aient comprises un peu de travers. »

« Les gens comprennent volontiers de travers ce qui ne correspond pas à leur désirs. »

« Vous rappelez-vous Gertrude Wilton ? »

« Mais oui. Elle m'honore parfois d'une pensée, qu'elle projette dans ma direction... » dit-il avec un sourire.

« Alors, vous *savez déjà* ce que je vais vous dire ? »

« Les mots nous ont été donnés pour échanger nos idées ; pourquoi ne pas en user ? Alors... Gertrude Wilton ? »

« Elle s'est érigée en champion de la Nouvelle Morale et son mari n'aime pas du tout cela. J'ai été mêlé malgré moi à cette histoire. »

J. M. H. parut amusé. « En qualité d'arbitre ? »

« Plus ou moins. *Lui* aurait voulu que je vous écrivisse à

ce sujet. C'est ce que d'autres ont fait, devant des problèmes analogues. »

« Ainsi, en blâmant la jalousie, j'ai indirectement attiré le déshonneur sur les époux ? » dit-il, et ses yeux riaient.

« Pour rendre justice à ce mari-là, ce n'est pas par la jalousie qu'il a péché : il s'est, au contraire, comporté des plus décemment. »

« Vraiment ? dit Moreward Haig ; il s'est donc acquis du mérite. »

« Mais lorsque sa femme s'est mise à « claironner » partout son histoire, déclarant que cela ne s'était produit que parce qu'elle voulait « développer » et « élever » l'âme de son amant…»

« Qu'avez-vous alors tenté ? » s'enquit mon Maître.

« Je lui ai parlé, et lui ai dit que s'il lui fallait à tout prix une affaire amoureuse, elle devait tout au moins avoir le courage de reconnaître que c'était pour son propre plaisir — et laisser là son verbiage sur la morale d'avant-garde ! »

Moreward rit de nouveau.

« Je lui ai encore recommandé d'avoir égard à la position de son mari et de ne pas proclamer sur les toits cette histoire… Ai-je eu tort ? »

« Vous n'auriez pas pu mieux faire, dans la circonstance donnée. » Après un instant de silence, durant lequel il semblait subodorer ce qui se passait chez Gertrude, il ajouta : « Et je *crois* que cela a exercé l'effet désiré. Mais il n'y a rien de plus déloyal envers soi-même qu'une femme qui veut suivre la pente de ses inclinations ! »

« C'est précisément ce que je lui ai fait entendre. »

« Bon ! applaudit-il. Vous avez évidemment appris quelque chose au sujet des femmes, dans votre présente incarnation — et c'est plus que ne peuvent prétendre un très grand nombre d'hommes ! » Puis il m'exposa comment les Maîtres s'efforcent d'équilibrer les normes de la morale, et les raisons pour lesquelles il avait cru devoir, pendant un temps, formuler publiquement ses idées sur la « non-jalousie ».

« La jalousie, dit-il, n'était à ses débuts que l'instinct de protection du fœtus. Lorsqu'une femme enceinte s'expose à des promiscuités, elle devient, de ce fait, le réceptacle de magnétismes divers et fait du mal à l'enfant qu'elle attend. Ainsi, sous sa forme primitive, la jalousie masculine représentait une défense contre de telles influences. Mais comme beaucoup d'instincts légitimes, elle a dégénéré, devenant le prétexte et l'excuse d'une extrême *possessivité*, de la cruauté et d'autres maux, y compris le meurtre et le suicide. A cause de la jalousie, des milliers de foyers ont été détruits, des milliers d'enfants privés du bienfait de la vie familiale. Pour réagir contre ce vice, il était nécessaire de mettre en avant un idéal de « non-jalousie » qui, à l'époque, était une notion insolite et très en avance sur les idées régnantes. Néanmoins tout idéal peut être défiguré et utilisé pour des fin égoïstes. Les enseignements que je donnais à ce sujet, il y a quelques années, sont toujours applicables aux races latines, et à tels individus que consument encore les passions jalouses ; mais, pour les âmes éclairées, ils sont déjà *vieux jeu.* De toutes façons, les relations entre sexes traversent une période de transition qui nécessitera, des deux parts, des adaptations de nature très subtile. »

Mon Maître esquissa encore les caractéristiques que l'on peut s'attendre à observer chez les hommes et chez les femmes, dans un avenir assez rapproché, et souligna de quelle façon elles réagiront sur les mœurs. Mais ce qu'il me dit sur ce point ne peut encore être divulgué.

« Je dois, maintenant, vous quitter, m'informa-t-il ; je vais être pris jusqu'à l'heure du dîner. »

CHAPITRE XIII

L'AVENIR DE LA RACE BRITANNIQUE

Lyall Herbert était arrivé et il avait passé une heure dans l'intimité de notre Maître, avant le repas du soir. Il voulut bien me confier ensuite qu'une partie de cette entrevue avait été consacrée à une dissertation sur les aspects ésotériques de la Musique. Herbert avait déjà écrit un livre sur cette question ; mais de plus amples informations devaient être répandues par le moyen d'articles de revues ou, peut-être, par la publication d'un nouvel ouvrage.

C'était toujours avec plaisir que je voyais s'approcher l'heure des repas, où je retrouverais Sir Thomas : d'une part j'aimais sa présence ; d'autre part, c'était là une occasion d'acquérir des connaissances que je n'eusse pu obtenir autre part.

Ce soir-là on discuta de sujets variés, ayant tous une portée occulte ; mais on m'a prié, depuis lors, d'user d'une grande circonspection dans le choix de ce que je rapporterais.

Sir Thomas émit d'intéressants pronostics, nous assurant que dans le temps qui vient toutes les formes d'art revêtiront un caractère plus scientifique : c'est-à-dire que des effets spécifiquement artistiques — effets de couleur, de son, de forme ou de rythme — seront consciemment et délibérément employés pour atteindre des résultats précis. Par exemple, au lieu de la musique ultra-moderne qui déchire les oreilles de tant de non-initiés et dont les Esprits n'ont permis la réalisation que pour rompre avec des œuvres conventionnelles et des formes de pensée pernicieuses, les musiciens, sous l'inspiration des Dévas, feront appel à des combinaisons de sons venant des Plans Supérieurs, et dont l'effet sera d'aider, et même de *guérir* les humains. — « La Musique, expliqua-t-il, tendra à des buts plus utilement définis ; la Religion même deviendra, en quelque sorte, plus scientifique. Le rôle des prêtres sera partiellement confié aux musiciens, ainsi qu'aux psychanalystes. Avec le temps l'action de la musique se substituera à celle des cérémonies religieuses, la psychanalyse remplacera le confessionnal. On s'est attendu, de la part des prêtres, à une trop grande sublimité de caractère... Résultat : le désappointement. Il sera moins exigé des artistes... »

Il retomba dans le silence. Moreward Haig développa alors certains points touchant à la psychanalyse et à quelques-unes des difficultés immédiates qu'elle comporte.

« L'idéal serait évidemment, dit-il, qu'elle fût pratiquée avant tout par des occultistes avancés, et non pas par les matérialistes du temps présent, dont quelques-uns — sans se douter le moins du monde de ce qu'ils font — courent le risque, en sondant trop profondément le subconscient des malades, de réveiller en eux le souvenir d'incarnations passées. Au contraire, l'occultiste doué de *clairvoyance* détermine avec sécurité, d'après les réactions observées sur les corps subtils du malade, à quel point précis il faut interrompre l'analyse — ce point se situant généralement dans les limites de sa présente incarnation. Mais le matérialiste, qui rit à la seule idée d'existences antérieures possibles et qui, par conséquent, travaille à tâtons et en pleine obscurité, peut faire remonter du passé des réminiscences extrêmement anciennes, qui remplissent d'horreur l'esprit d'un malade sensitif. La révélation de toutes les passions et concupiscences expérimentées dans des époques reculées et sous des codes de morale bien différents — tous ces rebuts oubliés de ses vies antérieures qui ne sont, en fait, reconnus ni par lui-même ni par le praticien, peuvent le conduire à de dangereux états d'humiliation et de sombre mélancolie... »

« Ce n'est pas sans raison que les Seigneurs du Karma ont clos les portes de notre mémoire, fit gravement Sir Thomas. Il n'est pas bon que la conscience d'un homme soit accablée du fardeau de la connaissance du Passé avant qu'il soit de force à le supporter. La psychanalyse n'est pas un jeu d'enfant ; elle est comme le feu : destructive ou purifiante ! Ainsi que le déclare Moreward Haig, seuls les voyants et les occultistes peuvent la diriger avec sagesse. »

Il se tut — et un silence étrangement impressionnant emplit la chambre... Enfin, il reprit : « Celui devant qui l'Avenir s'étend comme un livre ouvert me fait savoir que même les psychanalystes d'inspiration matérialiste seront forcés, dans les temps à venir, de reconnaître que l'analyse du subconscient est sans objet jusqu'à ce que l'Ego du malade soit assez puissant, non seulement pour permettre à la « personnalité » d'affronter sans déséquilibre le processus de désintégration — mais encore pour reconstruire ensuite et assumer l'entier contrôle du subconscient. »

Un autre sujet qui fut commenté, ce soir-là, est celui de l'avenir du peuple britannique. Sir Thomas nous rappela que, tôt ou tard, chaque race entre dans un stade critique de son histoire. Au cours des trois cents années qui allaient suivre, la race britannique serait mise en face d'un choix.

« Les Romains, déclara-t-il, s'y réincarnent moins, leur œuvre impérialiste étant achevée ; en revanche, davantage de Grecs s'incarnent chez nous. Il en résulte qu'un nouveau type d'hommes apparaît. La capacité grecque de saisir la pensée métaphysique se manifeste, ici, par une nouvelle forme d'idéalisme et par la disposition à se tourner vers le dedans, à entrer en contact avec les mondes supérieurs. L'amour grec de la beauté se manifeste dans le sentiment artistique. Le revers du don métaphysique, c'est l'incapacité croissante à résoudre les problèmes se posant sur le plan physique. Le revers du don artistique, c'est le penchant, répandu chez les Anciens, à l'homosexualité. Comment y remédier ? C'est le problème qui *nous* incombe. Une nouvelle doctrine doit se dégager... Si ces tendances homosexuelles se donnaient libre cours, la Grande-Bretagne serait condamnée à la façon de l'ancienne Grèce ; si elles sont sublimées par l'élément métaphysique, la Grande-Bretagne s'élèvera à un haut degré de gloire spirituelle et artistique, et deviendra, en ce domaine, une Race d'Initiateurs. Le choix est devant nous » — il tambourinait de ses doigts sur la table comme pour bien marquer ce dilemme : « idéalisme spirituel ou descente dans l'abîme racial ! »

Il y eut une pause. — « L'homosexualité, en Grèce, reprit J. M. H., résultait en partie de la perversion des doctrines énoncées par des Adeptes de l'Ecole Platonique. La femme de rang moyen n'était pas censée, en Grèce, être une intellectuelle ; aussi l'homme dépendait-il de son propre sexe pour l'échange d'idées métaphysiques. En vue de favoriser les échanges intellectuels, ces Adeptes s'efforcèrent de développer, entre les hommes, l'amitié idéaliste et apte au sacrifice de soi si souvent décrite dans la littérature grecque. Qu'elle ait dégénéré, versant dans les formes les plus grossières de l'homosexualité, c'est là une tache sur le blason de la race que les Adeptes n'avaient ni voulue, ni prévue. »

« Vous avez mentionné la femme grecque. Que pensez-vous

de la femme d'aujourd'hui, de celle de l'avenir ? » me risquai-je à demander.

« Si les hommes de notre temps *s'intériorisent*, répliqua Moreward Haig, les femmes de maintenant *s'extériorisent*... »

« D'une façon ou de l'autre, il faut bien que la balance s'équilibre », intercala Sir Thomas.

« Précisément, ratifia mon Maître. Le nouveau type d'homme étant plus réservé et plus introspectif, les femmes, en revanche, deviennent plus compétentes en affaires, meilleures organisatrices, etc... »

« Les femmes d'aujourd'hui ne manquent nullement d'intelligence ; mais elles tendent à perdre leurs dons d'intuition, ajouta notre hôte. Les spécimens inférieurs du nouveau type de femme sont celles chez qui se développe un autoritarisme démesuré — tandis que les spécimens inférieurs du nouveau type d'homme sont en danger de se transformer en *bourdons*, en raison de leur penchant constitutionnel à la rêverie, dont découle leur impuissance dans le maniement des affaires terrestres. Heureusement ma nièce n'est pas présente ! conclut-il Une femme *très* féminine... perspective peu plaisante à ses yeux, que des hommes devenant femmes et des femmes devenant hommes... aïe ! aïe ! aïe !... » — Et il se leva de table au milieu des rires qu'avait soulevés sa remarque et la manière dont il la faisait !

Après le dîner, Lyall Herbert nous joua du piano. Il était évident que Sir Thomas appréciait vivement la musique. Il l'écoutait intentionnellement les yeux fermés, sa main marquant par instants le rythme, quand quelque phrase ou mélodie l'enchantait spécialement.

Lorsque Herbert s'arrêta de jouer, Sir Thomas lui témoigna, par des hochements de tête approbatifs, son évident plaisir.

« Vous avez bien des difficultés, dans votre carrière musicale, déclara-t-il plus qu'il ne questionna. Ceux qui travaillent pour les Maîtres trouvent leur chemin semé d'embûches et doivent renverser grand nombre d'obstacles, avant de se voir compris... »

Le visage d'Herbert s'éclaira ; lui aussi, il était visiblement sous le charme de notre hôte. « J'ai certainement des difficultés » convint-il.

« Hum... peut-être — observa sèchement Sir Thomas — que si quelque *grosse nuque* du monde théosophique *d'avant* l'ère de Krishnamurti vous avait étiqueté comme « initié », toute une bande d'enthousiastes se seraient ralliés autour de vous et vous auraient taillé une réputation — eh ? »

« Mais je crains beaucoup de n'être pas un initié », fit Lyall, en souriant.

« Il se peut que non. » Il hocha la tête pensivement. « En tous cas, je n'ai jamais approuvé cet « étiquetage » ! Initiés ici, initiés là... médailles et décorations... récompenses dans les Cieux, *tut — tut* — ... L'Initiation est une chose privée, sacrée, ayant lieu entre Maîtres et élèves. Très hors de propos d'en faire une chose publique — quelques exceptions, bien sûr ... » Il sourit et quitta la pièce.

« Vous vous doutez peu du grand honneur qui vient de vous être fait ! » dit Moreward Haig à Herbert.

« Etes-vous sûr que je ne m'en doute pas ? » répondit Herbert.

Mon Maître sourit et ne répondit rien.

Il était convenu qu'Herbert et moi retournerions ensemble à Londres le lendemain après-midi. Mais nous passâmes encore une demi-heure avec Moreward avant notre départ. Nous étions tous deux complètement dans le vague, quant à ses projets et déplacements éventuels. Etions-nous autorisés à écrire à Arkwright et à lui parler de son retour, par exemple ?

— Cette question me vint à l'esprit comme nous faisions les cent pas sur la pelouse, avant le lunch. Il lisait visiblement dans ma pensée, car il me dit : « Avez-vous rencontré Arkwright ? »

« Il nous a fait visite à Londres », répondis-je.

« Vous pouvez lui écrire et l'informer que le Gourou disparu est « retrouvé » — c'est-à-dire si vous en avez envie ! »

« Et doit-il renseigner d'autres chélas, en Amérique ? »

« J'ai écrit à Heddon, qui leur aura déjà communiqué la nouvelle. »

J'éprouvai une grande sensation de soulagement : j'avais été vraiment chagriné, pour tous ces chélas de Boston. Quoiqu'il eût pu leur faire dire par Heddon, du moins savaient-ils qu'il était *vivant*.

Moreward Haig me confia également un message pour Toni Bland : cependant, le moment où je le lui transmettrais devait dépendre de mon propre jugement : hors cette injonction énigmatique, il ne daigna rien me dire de plus sur ce point. Il nous adjura de garder le plus entier secret au sujet de notre séjour dans la demeure de Sir Thomas et de tout ce que nous y avions appris — bien qu'il me permît de faire une exception en faveur de ma femme. « Dites-lui que la période d'obscurité touche bientôt à sa fin pour elle ; que bientôt, aussi, elle sera capable de *voir* de nouveau — et ce sera une voyance intensifiée, qui compensera pour elle toutes les souffrances que le Karma lui a imposées. Certains êtres conquièrent leur équilibre par la souffrance mentale, d'autres par la souffrance physique ; elle l'a conquis, elle, par les deux moyens : c'est pourquoi ses pouvoirs, lorsqu'ils reviendront, seront d'autant plus dignes de confiance. »

Je fus profondément reconnaissant de ce message, car je savais tout ce qu'il représenterait pour Viola et, qu'en une certaine mesure, il la consolerait de n'avoir pu être avec nous.

Mais notre Maître avait une dernière chose à nous dire : dans un délai qu'il ne pouvait préciser, il nous enverrait de nouveau chercher, et le but de ce revoir nous serait révélé plus tard. Il nous donna à entendre que cette seconde visite marquerait un pas décisif dans notre évolution.

* ** *

Nous devions partir pour Londres immédiatement après le lunch.

Le grand car bleu était devant la porte. Avec tristesse je pris congé de Moreward Haig, puis je me tournai vers Sir Thomas, désireux d'exprimer ma gratitude pour tout ce que j'avais vécu sous son toit.

« Ne perdez pas votre temps à me dire votre reconnaissance, et il fit un amusant geste de répugnance. Ne suis-je pas capable de lire dans votre cœur ? » Il retint un moment ma main dans la sienne et ajouta : « Je vous donne la bénédiction d'un vieillard. »

« Et je la reçois comme celle d'un Maître... » répliquai-je avec respect et assez bas pour n'être entendu de personne.

« *Tut— Tut*—... » fit-il, sur le ton du reproche. Mais il était assez humain, je le sentais bien, pour que mes paroles ne lui déplussent pas — ce qui me le rendit d'autant plus cher ! Il dit adieu à Herbert, à qui il donna aussi sa bénédiction ; puis nous montâmes dans la voiture. — Je les revois toujours : Sir Thomas et Moreward Haig, debout sur la plus haute marche du massif escalier conduisant à la porte d'entrée, le chien dignement assis entre eux deux, et nous regardant partir.

Le chauffeur de Sir Thomas était un conducteur étonnamment rapide, en sorte que, même si j'avais eu envie de lire les noms des poteaux indicateurs, j'eusse été bien en peine de le **faire**, du train dont nous filions...

Herbert et moi fûmes seuls dans notre compartiment durant la plus grande partie du voyage de Londres. Se doutait-il que Sir Thomas était un Maître ? Je me le demandais.

« Un remarquable vieux gentleman, » observai-je avec prudence, dans l'espoir de le découvrir.

Son expression suffit à me fournir l'information désirée. Nous étions naturellement fort curieux de savoir ce que nous préparait la prochaine visite qu'il nous serait donné de faire chez Sir Thomas, et nous nous livrâmes à toutes sortes d'hypothèses sur ce sujet.

« L'occultisme est si merveilleusement riche en surprises et en romanesque, observa Lyall ; combien plate doit sembler, sans lui, la vie ordinaire ! »

« Vraiment ? Même pour un compositeur ? » questionnai-je.

« Composer sans qu'il y ait cette sorte d'idéal à la clef, que serait-ce donc ! Il haussa les épaules. *L'Art pour l'Art* » est un mot d'ordre qui sonne fort bien ; mais l'Art au service des Maîtres et de l'Humanité comporte infiniment plus de romanesque. »

J'acquiesçai de tout cœur à ses vues.

CHAPITRE XIV

UNE AME DANS LA NUIT

J'eus, en arrivant chez moi, nombre de choses à relater à Viola et, tout naturellement, elle eut une grande joie du message que lui envoyait Moreward Haig, bien qu'elle fût en même temps très déçue de n'avoir pas la perspective de le revoir à bref délai. Je lui rappelai la singulière raison qu'il m'en avait donnée : c'est-à-dire que le revoir lui ferait, pour le moment présent, plus de mal que de bien. Mais ceci ne fit qu'aiguiser davantage sa curiosité...

« Eh bien, demande à David de te l'expliquer, dis-je enfin. Moreward Haig m'a assuré qu'il le saurait. »

« Cela me fait, en vérité, grand bien de l'apprendre ! rétorqua-t-elle, alors que David est parti, nous abandonnant à nous-même — le vilain moineau ! »

« Alors il ne te reste qu'à posséder ton âme par la patience », fis-je en riant.

« Oh ! à propos, dit-elle, Miss Hart a téléphoné. »

« Ah ?... »

« Mrs. Saxton est gravement malade dans une clinique. On l'a persuadée de se soumettre à une opération quelconque — et maintenant on ne croit pas qu'elle y survive... »

« Pauvre femme ! »

« Miss Hart a téléphoné pour demander de ses nouvelles et on lui a assuré que l'opération avait *admirablement réussi.* »

« Mais qu'elle était mourante tout de même ?... On connaît cela : chirurgiens parfaitement satisfaits, *mais*... »

« Tout cela est fort triste, reprit Viola. Ses deux fils sont aux Indes, elle n'a personne d'autre au monde, et s'en va mourir seule dans une clinique... On n'imagine rien de plus désolant. »

Quelques jours plus tard, je reçus un appel téléphonique de la Sœur Directrice de la Clinique, me remerciant pour quelques fleurs que nous avions envoyées et ajoutant que Mrs. Saxton demandait instamment à me voir. J'acquiesçai, bien entendu, à ce vœu, d'autant plus que je pensais à ce que Moreward Haig m'avait dit d'elle. Peut-être allais-je saisir ce qu'il entendait par le « chien aveugle et le précipice. »

Arrivé à la Clinique, je reçus, d'une sorte de dragon en uniforme de nurse, les instructions habituelles : ma visite devait être très brève pour ne pas fatiguer la malade. Elle me donna même à entendre que c'était, de la part de Mrs. Saxton, un caprice parfaitement déraisonnable que de désirer me voir. Ces remarques peu flatteuses me laissèrent froid — bien que pour apaiser le dragon, je le gratifiasse d'un de mes sourires les plus étudiés en promettant tout ce qu'on me demandait.

Je trouvai Mrs. Saxton en pitoyable état — si changée, en fait, qu'elle était à peine reconnaissable. La nurse s'attarda dans la pièce jusqu'à ce que je la priasse de bien vouloir nous laisser seuls, et même alors elle menaça de venir me chasser, si je dépassais le temps qui m'était assigné.

« Je ne puis même pas mourir en paix, marmotta Mrs. Saxton, fort agitée, et sans que ces nurses se mêlent de mes affaires privées... »

J'exprimai toute ma sympathie. Il y eut un silence : elle semblait chercher ses mots.

« Je suis tellement *seule* », dit-elle enfin.

« Mais n'y a-t-il pas quelque amie que vous aimeriez voir ? » demandai-je.

« Une seule, oui : Christabel... mais elle est morte. » — Ses mains remuaient sans cesse sur le drap. Puis, avec effort : « Vous croyez qu'il y a... quelque chose... *après*... n'est-ce pas ? »

« Très certainement, je le crois. »

« *Lui* prétend maintenant, que tout cela n'est... qu'illusion... (Je ne pus que supposer qu'elle voulait parler de Krishnamurti et de ses enseignements.) Et quand j'ai voulu lui demander... de s'expliquer... il a refusé de me voir. »

« Oh ! il n'a pas voulu dire *illusion* dans le sens où vous l'avez compris, protestai-je ; vous avez mal saisi. Et je suis sûr que s'il ne vous a pas vue, c'est qu'il ne le pouvait pas. »

« Il m'a tout ôté, poursuivit-elle avec difficulté et semblant ignorer mes paroles apaisantes — tout ce à quoi j'avais cru... et maintenant... » Des larmes emplissaient ses yeux angoissés.

De nouveau je l'assurai qu'elle avait mal compris, mais elle ne semblait pas m'entendre. Elle ne pouvait que suivre le cours de ses propres pensées et répétait, par petites phrases décousues : « J'aurais voulu qu'il m'explique... je le désirais *tant*... il n'a pas voulu me voir... »

Il y eut un nouveau silence ; je me sentais incapable de trouver ce qui eût pu la réconforter.

« Ce livre... que vous avez écrit... sur un Maître », reprit-elle, après une lutte pour maîtriser la douleur physique qui l'assaillait.

« Oui ? » fis-je anxieusement.

« Il n'était pas comme cela... il était toujours prêt... à aider. »

« Les Maîtres sont *toujours* disposés à aider, » murmurai-je en me penchant sur elle, car je voyais bien que ses forces déclinaient rapidement.

« Mais... êtes-vous sûr... Ils... »

« Si je suis sûr qu'Ils existent ? complétai-je la pauvre phrase interrompue. J'en suis aussi sûr que de ma propre existence ! »

« Alors pourquoi... *lui*... dit-il que *non* ?... » Et son front se plissait douloureusement.

« Il ne l'a pas dit — il ne l'a pas dit... » Mais comment eus-je pu discuter avec une mourante dont le raisonnement (le peu qu'elle eût jamais possédé) était déjà obnubilé ? Elle avait soif de croire de nouveau en les Maîtres... mais quel moyen employer pour l'en convaincre ? Elle redoutait la mort, et peut-être même ce qui restait en elle d'orgueil en repoussait-il l'idée... Si quelqu'un avait jamais eu besoin du secours des Maîtres, c'était bien elle.

Soudain, je résolus d'adresser mentalement à J. M. H. un ardent appel au secours...

* * *

Mrs. Saxton, qui respirait jusqu'alors avec beaucoup de difficulté, était maintenant plus calme.

« Dites-moi ce qui vous angoisse le plus ? » demandai-je doucement.

« Toute seule... répéta-t-elle, si seule... tout *noir*... Si seulement... votre Maître... » Le dernier mot fut une sorte de soupir, et j'étais sur le point d'appeler la nurse, quand je remarquai que son expression changeait... et qu'elle paraissait regarder quelque chose que je ne pouvais discerner moi-même.

« Belle lumière dorée... murmura-t-elle, si belle ! »

Certes elle n'eût pu admirer, ce jour-là, aucune lumière terrestre, car Londres était sombre et la pluie battait les vitres de sa chambre dépouillée de confort. Mais, comme beaucoup de gens à l'article de la mort, Mrs. Saxton était évidemment devenue clairvoyante. De ses paroles sans suite, je pouvais conclure avec gratitude qu'un Maître lui était apparu et qu'elle percevait son aura resplendissante. Ce n'était toutefois pas *mon* Gourou, mais, je crois, le Maître Kout Houmi, qui vint à elle dans sa compassion profonde pour tous ceux qui souffrent...

Chris devait l'avoir accompagné, car la mourante murmura son nom, comme si elle l'eût aperçue. Son expression de terreur si pitoyable à voir s'était effacée ; la sérénité et le contentement avaient détendu ses traits ; la douleur physique même devait l'avoir quittée, car ses mains, toujours en mouvement, étaient enfin retombées.

La nurse rentra dans la chambre, me reprochant d'être resté si longtemps — mais la malade s'était endormie.

Tout en rentrant sous la pluie, je compris que Moreward Haig avait prévu tout ce qui venait de se passer. Il savait que la philosophie que Mrs. Saxton avait adoptée et si lamentablement mécomprise, lui apporterait, au terme de sa vie, aussi peu de réconfort qu'une pierre à un homme affamé. En imprimant sa pensée dans l'esprit de Toni — comme il admettait l'avoir fait le jour où ce dernier était venu chez nous — il s'efforça d'envoyer, du moins, à la pauvre femme un avertissement et de fournir en même temps un aliment à ses réflexions. Mais elle avait ignoré cet avertissement — et l'état de désespoir dans lequel je l'avais trouvée en était la conséquence.

Quoiqu'il en soit, Mrs. Saxton mourut paisiblement dans son sommeil, peu de temps après que je l'eus quittée.

* * *

L'épreuve de Toni touchait à son terme. L'interminable procès avait eu sa conclusion et Toni avait été déclaré pur de tout blâme. Mais il se retrouvait avec des moyens considérablement diminués et des temps difficiles s'annonçaient immanquablement pour lui. Etant donné tout cela, je me sentais pressé de lui manifester ma vive sympathie. En réponse à mon appel téléphonique, il vint prendre un repas chez nous et son aspect très changé ne montrait que trop les souffrances qu'il avait traversées. Il releva tristement le fait que certaines gens lui battaient froid pour avoir été impliqué dans une « affaire » et avoir dû comparaître devant les tribunaux.

« Idiots ! » déclarai-je.

Il soupira. « Je donnerais *beaucoup*, pour voir, en ce moment Moreward Haig... »

Je me sentis assez mal à l'aise. Moi qui n'avais pas eu à traverser les temps cruels qu'il venait de vivre, il m'avait néanmoins été donné de revoir mon Maître : et ici devant moi se tenait Toni, appauvri, déprimé et avec un inexprimable besoin de l'appui d'un Maître... Lui raconter, en ce moment précis, que Lyall et moi avions tous les deux fait visite à Moreward, cela me semblait par trop cruel ! Toni me regardait d'un air étrange — et j'étais, moi, réduit au silence.

Puis il dit lentement : « Je pense que vous avez vu Moreward Haig. »

Cette déclaration me prit tout à fait par surprise. Etais-je un si pauvre acteur que mon expression m'avait trahi, ou Toni était-il plus intuitif encore que je ne l'eusse pensé ?

« L'avez-vous vu ? » insista-t-il.

« Oui, » admis-je, mais en essayant de lui faire comprendre par mon expression tout ce que je ressentais pour lui...

Il ne dit rien — bien trop loyal envers notre Gourou pour le critiquer ou pour entrer en discussion avec moi sur la faveur dont j'étais l'objet et qui lui était refusée. Mais je pus voir qu'il était à la fois chagriné et intrigué.

Je cherchais en vain quelque chose à dire, lorsque Lyall Herbert entra dans la chambre. Je l'avais spécialement convié à venir aussi : il me semblait qu'en un pareil moment, les vrais amis de Toni devaient se rallier autour de lui. Lyall était plein de chaude sympathie ; mais bien que Toni s'en montrât reconnaissant, je pus voir qu'il était préoccupé par ses propres pensées. Bientôt il regarda fixement Lyall, comme il m'avait regardé moi-même.

« Je pense que vous avez aussi vu Moreward Haig ? » dit-il enfin.

Lyall fut pris au dépourvu. Il me regarda, cherchant à lire sur mon visage.

« J'ai avoué, dis-je, tu ferais mieux de faire de même. »

« C'est bien ce que je pensais... » dit Toni.

Nouveau silence embarrassant...

Devrais-je lui répéter le message de Moreward ou non ? J'essayai d'envoyer une pensée à mon Maître, espérant en retour une impression qui me guiderait — mais je ne pus rien obtenir.

Puis, soudain, j'eus la main forcée : Toni demanda de but en blanc : « Avez-vous un message pour moi ? »

J'admis que j'en avais un.

« Et c'est ?... »

« Je crains qu'il n'ait rien de bien réconfortant », préludai-je.

« Le message ?... » insista-t-il.

« Vous devez continuer comme par le passé... je veux dire, continuer la méditation. »

« Et c'est là tout ? »

« Oui, hélas... »

Toni eut l'air profondément déçu et ne dit plus rien d'un

moment. « Avez-vous une cigarette ? » dit-il enfin, avec une feinte indifférence. Je lui en tendis une, très surpris, car je ne l'avais jamais vu fumer. Il lança des bouffées en silence pendant un certain temps. Puis, de sa voix plaintive, il constata : « C'est toujours la même chose ; je dois tout accomplir par moi-même et me fier toujours à ma propre intuition, tandis que vous, les copains... »

« Mais cela vient de ce que *vous* êtes beaucoup plus évolué que nous ! intervint Lyall, sincèrement désireux de le consoler. Après tout, votre intuition doit être remarquable, si vous pouvez « flairer » ainsi immédiatement avec qui nous avons été en contact. »

« Je *sens*, depuis quelque temps, que Moreward Haig est dans le pays... mais dès que je vous ai vus, je l'ai *su* » répliqua Toni.

Après une pause, il parla de nouveau, faisant un effort pour être plus gai : « Eh bien, je suppose que tout cela fait partie de mon entraînement... Du moins suis-je heureux que mes pressentiments se soient révélés justes ! »

Je ne pus m'empêcher d'admirer le courageux petit homme qu'était Toni : extérieurement si frêle, si sensitif, mais intérieurement doué d'un courage de lion.

En nous quittant, ce soir-là, il nous dit qu'il avait résolu de s'en aller quelque temps à l'étranger. « C'est la meilleure chose que je puisse faire, dans les circonstances données », ajouta-t-il.

CHAPITRE XV

LE MESSAGE
DU MAITRE KOUT-HOUMI

« Il nous faut trouver une villa ou quelque autre arrangement pour l'été, dit Viola, et si nous ne nous mettons pas bientôt en quête de quelque chose, nous resterons sur le carreau... Le docteur me dit de choisir un endroit un peu élevé, vu mon état de santé. » — Elle venait de descendre pour le déjeuner et examinait la pile de ses lettres. « *Hallo*, voici une carte illustrée de David — enfin ! Il a griffonné tout autour de la flèche de l'église du village... « Suis *ici*, lut-elle à haute voix. Merveilleux Déva au sommet de la colline. Aubergiste jovial... Signe du Taureau avec planètes dans la Terre... Bouffe passable, pour ce petit patelin. Aspects progressifs des planètes favorables. Amitiés ! David. »

« Typique ! fis-je en riant. Pourquoi n'irions-nous pas passer quelques jours là-bas pour voir ce que ça nous dit ? Si nous nous informions, on nous signalerait peut-être un cottage dans les environs. »

L'idée plut à Viola. « Mais à supposer qu'il n'ait pas envie de nous voir ? » fit-elle, hésitante.

« Demande-le lui par télégramme. Sa Seigneurie pourra toujours inventer une excuse, si elle ne se sent pas encline à jouir de notre charmante compagnie. »

Mais il se trouva que David y était enclin — et il nous télégraphia à son tour qu'il nous louait des chambres pour le *week-end*.

* * *

L'auberge dominait une vaste étendue de paysage boisé avec des dunes à l'arrière-plan, et plus au-delà encore, la vue de la mer. Derrière l'hôtel s'élevait une colline semée de bruyères, au sommet de laquelle un cirque de grands pins entouraient un petit lac, comme des sentinelles gardant un bassin sacré.

Nous trouvâmes David assis à une petite table de fer, dans le pittoresque jardin en terrasses.

« *Hallo*, chers Egos ! salua-t-il gaiement. Vous vous amenez enfin... »

Il avait pris fort bonne mine à la campagne. « Cet endroit semble vous convenir » remarquai-je ; et Viola ajouta : « Oui, vous êtes tout brûlé du soleil. »

« Abondance de *Prana* [1] et Dévas de l'Air de tous les côtés », répondit-il, fidèle à son habitude d'offrir pour toute chose une explication occulte.

Nous nous mîmes à rire. Bien que nous ne pussions discerner quant à nous aucun Déva, l'endroit nous semblait vraiment délicieux et l'air assez vivifiant pour justifier l'allusion au Prana.

Nous nous assîmes devant la petite table où se trouvaient

---

[1] Le *Prana* est la force vitale émanant du soleil. *(Note de la traductrice.)*

divers papiers et une serviette de cuir. « Qu'est-ce que tout cela ?... Des horoscopes ou de la correspondance ? » questionna curieusement Viola.

« Ni l'un ni l'autre — un livre », fut la brève réponse.

« Oh ! oh ! enfin ! m'exclamai-je. Ceci explique la subite retraite à la campagne et la vie d'ermite. »

« C'est bien vous, David, de faire le cachottier et de ne rien nous confier du tout ! s'exclama Viola. Sur quoi portera spécialement ce bouquin ? On est obligé de le demander, car votre répertoire est si vaste ! »

Mais visiblement peu enclin, pour l'instant, à une conversation littéraire, David serra ses papiers dans la serviette.

« Je vous le dirai plus tard, peut-être... fit-il. Je me suis débattu tout le matin avec ce misérable livre... Rien que des échecs ! Saturne carré Uranus et la collection quotidienne des mauvais aspects lunaires... j'en ai par-dessus la tête ! Allons faire un tour ! »

« Mais il faut d'abord que je me repose un peu, objecta ma femme. Si vous aviez un « véhicule » aussi misérable que le mien... »

« Pardon, s'excusa-t-il, j'oubliais. »

« A propos, j'ai des nouvelles ! lui dis-je. Moreward Haig a reparu... »

« Je le savais ! Je le savais ! s'exclama-t-il triomphalement. N'avais-je pas pressenti, la dernière fois que nous nous sommes vus, qu'il allait bientôt reparaître ? »

« Peut-être l'avez-vous pressenti, mais je vous fais remarquer que vous ne nous l'avez pas fait savoir... »

« Je sentais que lui-même ne l'eût pas voulu. »

« Mais vous l'avez *vu* — astralement parlant ? »

« Comment le savez-vous ? »

« Il me l'a dit lui-même. »

Le sourire de David restait énigmatique. « Vous a-t-il dit quelque chose d'autre à mon sujet, à part cela ? »

« Il a dit des choses très gentilles... et que vos intuitions psychiques sont des plus dignes de confiance. »

Le visage de David s'illumina :

« Ce que je voudrais comprendre, interrompit Viola, c'est pourquoi il ne veut pas me voir ? Il a dit que *vous* pourriez me l'expliquer. »

David regarda dans l'espace, pendant un moment.

« Voyez-vous, ses vibrations sont extrêmement puissantes, et tant que votre santé sera aussi déplorable, elles désorganiseraient simplement tous vos « véhicules » et empireraient votre état. »

Ma femme se sentit quelque peu tranquillisée.

« *Hallo Ooze* ! C'est un joli petit *Ooze*... » Cette apostrophe inintelligible, mais affectueuse, était adressée à l'improviste par David au chat de l'hôtel, qui venait d'apparaître et se frottait contre ses jambes.

« *Notre* pauvre chat a malheureusement trépassé, j'oubliais de vous le dire », remarquai-je. (David l'aimait beaucoup et lui faisait des caresses chaque fois qu'il venait à la maison.)

« Je craignais bien que ce ne fût le cas, fit-il avec sympathie, car j'ai vu, l'autre nuit, son petit corps astral... »

« Ce n'est donc pas vrai, que les animaux ne font que retourner, après la mort, à l'âme collective de leur race ? » dit Viola.

« Non — si vous les avez réellement *aimés*. Par votre affection, vous les *individualisez* et vous hâtez grandement leur évolution. Bien plus de bêtes qu'on ne saurait le croire s'individualisent au contact de l'homme. Au fait, c'est dans le jardin du Maître, que j'ai aperçu votre chat après sa mort. »

« Quelle joie pour le chat et comme c'est charmant de la

part du Maître ! » m'écriai-je en riant, mais néanmoins un peu ému.

« Il y avait, autour de sa petite tête, une forte lumière prouvant qu'il s'était individualisé — et cette aura était d'une couleur plus claire que de son vivant, poursuivit David. En ce qui concerne les chiens, j'ai *vu* une fois un immense Airdale, décédé depuis des années, se lancer sur un petit cabot qui tentait d'attaquer la maîtresse à qui l'Airdale avait été dévoué toute sa vie, et le punir d'une bonne bourrade. »

« Eh bien, je suis joliment contente de penser que les bêtes que nous avons aimées demeurent, une fois mortes, des *individus* ! s'écria Viola. Je détesterais les sentir absorbées dans quelque vague âme collective... Et, maintenant, si cela vous dit, je suis prête à faire une promenade. »

La matinée avait été brumeuse ; mais un chaud soleil de midi perçait maintenant les nuages et le parfum combiné des fleurs, de la bruyère et des pins résineux emplissait l'air. Nous marchâmes un moment sur des sentiers de forêt, nous arrêtant ici et là pour nous reposer sur des troncs d'arbres abattus, tout en écoutant la musique des feuillages bruissants, qui formait un subtil et délicat accompagnement au chant des oiseaux. C'était bon de se retrouver à la campagne ! En esprit, je retournais chez Sir Thomas, dans son jardin des temps passés... J'aurais aimé décrire tout cela à David — s'il ne m'eût été impossible de rompre ma promesse de silence.

Après un certain temps, nous retournâmes du côté de l'auberge. La journée était assez chaude pour que l'on pût déjeuner en plein air, perspective toujours pleine de charme, surtout dans un pays où le climat rend ce plaisir fort rare.

Pendant notre repas, une troupe de jeunes excursionnistes échauffés et rieurs se déversa dans le jardin et s'établit à une table voisine de la nôtre.

« Ne souffrez-vous pas un peu de ce genre de choses, surtout pendant les *weck-ends* ? demanda Viola à David. N'est-ce pas une grande perturbation dans votre travail, que ces tapageuses intrusions ? »

« Elles ne me troublent pas à ce point de vue-là… Au fait… » Il s'interrompit et, dans un silence méditatif, considéra longuement le groupe babillard et bruyant.

« Au fait quoi ?… » interrogea Viola.

« Ne le questionne pas… l'adjurai-je, ne vois-tu pas qu'il les *subodore* psychiquement ? »

« Très juste ! fit David. C'est ce que je faisais. Depuis quelque temps, je « réalise » que ces jeunes qui se répandent hors des grandes villes en quête de beauté sont l'un des rares signes d'espoir qu'offre notre époque. »

Nous le regardions interrogativement et il reprit à demi-voix :

« Ce sont des types d'Egos qui sont influencés par les Dévas nationaux : ceux-ci les poussent à entrer en contact intime avec la nature et ses vibrations très pures. Ils ne le savent pas, bien sûr — mais ce n'en est pas moins un fait. Les plus affinés d'entre eux sont comme guidés vers certains « centres » magnétisés par les Initiés il y a des siècles, et gardés maintenant par des Dévas plus ou moins puissants. Plus tard, ils apprendront à visiter ces centres de manière consciente. »

« Oui, mais quel est leur but — j'entends le but de ces « centres » ? »

« Eh bien, de développer les types avancés de la race. Voyez-vous, l'atmosphère psycho-spirituelle de ces lieux magnétisés est si intense, qu'elle constitue un remarquable stimulant des facultés supérieures. Quand ces facultés seront suffisamment développées, une partie de la race, tout au moins, sera prête pour la venue du Maître du Monde, qui doit apparaître à la fin de ce siècle. »

« Alors, je crois comprendre que cette sorte de jeunes gens est le prélude d'un temps de grand idéalisme, et pour ainsi dire l'avant-coureur d'un type humain nouveau ? »

« Oui. Attendez quelques années et vous verrez comme ce type se développe ! Maintenant déjà, il y a une réaction contre tout le pessimisme et toute la licence d'après guerre : on commence à discerner les signes d'une vie plus propre, d'une plus grande maîtrise de soi. Il existe même une ligue, formée par un groupe de jeunes gens qui ont juré d'être fidèle à leur femme... Jeter sa gourme n'est plus de mode, chez les classes supérieures ; au lieu de cela, nous avons les mariages précoces, la fidélité conjugale — et les enfants. — Tout cela procède de l'effort des Dévas de la Race pour obtenir l'incarnation d'un type d'âmes plus élevées. Comme la Race devient de plus en plus sensible à des vibrations d'ordre supérieur, les Dévas pourront l'influencer toujours davantage, et la réponse à leurs vibrations deviendra de plus en plus fréquente. Ainsi, avec moins de promiscuités nuisibles et de désordres divers, on verra une partie de la Race devenir si sensitive, que les hommes seront susceptibles de *voir* les Dévas, et même de communiquer avec eux. Naturellement, ce n'est pas pour demain encore : il faut, pour cela, posséder déjà la vision éthérique. » [1]

« Comme je voudrais voir les Dévas ! dit Violette, tandis que David se mettait à avaler son lunch. Même avant de perdre ma clairvoyance, je ne les ai jamais réellement *vus* — bien que j'aie senti leur présence. »

« Cela dépend aussi du *genre* de clairvoyance, ou plutôt de pouvoirs psychiques, répondit David ; ils varient beaucoup de l'un à l'autre. Certains Egos peuvent se rappeler leurs incarnations passées, mais ne *voient* rien du tout ; d'autres ne se

---

[1] Le type de clairvoyance qui permet de discerner les esprits de la nature — les fées, les gnomes, etc... *(Note de l'auteur.)*

rappellent rien, mais peuvent voir les *auras* et les *formes-pensées* ; d'autres encore n'ont que le souvenir d'expériences psychiques vécues pendant leur sommeil. Bien peu de gens possèdent toute la série des « octaves » correspondant aux différents Plans. Pour cela, il faut être un *voyant* extraordinairement entraîné. »

« La vision éthérique est, en réalité, la moins subtile de toutes, remarquai-je ; c'est du moins ce qu'on m'a expliqué. »

« Oui, mais il ne s'ensuit pas que ce soit forcément celle-là que l'on acquière en premier lieu, dit David. Cela dépend du type psychique et du genre de facultés acquises dans les vies antérieures. Toute cette question de l'éther physique est très complexe... ajouta-t-il. J'ai passé une grande partie de mon séjour en Inde à l'étudier, d'abord sous la surveillance de mon Maître, ensuite par moi-même : en fait, j'ai amassé une quantité de notes qui vont reparaître dans mon bouquin. »

« Oh ! lisez-nous en quelque chose ! s'écria vivement Viola. Rien de tel que d'essayer l'effet produit sur les profanes ! »

David rit et rentra dans la maison pour y mettre en ordre ses manuscrits. La bande des jouvenceaux avait, entre temps, vidé les lieux et la tranquillité régnait de nouveau dans le jardin, ce dont nous étions reconnaissants.

David reparut avec sa précieuse serviette, et nous nous retirâmes sous une petite tonnelle au fond du jardin, à l'abri des interruptions possibles.

« L'éther, commença à lire David, est le pont reliant la matière physique dense au Plan astral : il compte quatre subdivisions ou régions, qui s'interpénètrent — et dont la quatrième, la plus dense, est aussi la plus proche du monde physique. — Ce quatrième éther est celui où agissent ceux qui sont animés par les convoitises sensuelles, les ambitions et le désir de puissance sous toutes ses formes. — Dans le troisième éther, chaque individu, séparément, conquiert graduellement la maîtrise sur les mauvaises forces susmentionnées. — Dans le second éther, le disciple « en puissance » (au cours de sa vie physique) s'approchera peu à peu du Sentier, et devra coopérer consciemment avec quelque association occulte, en vue de créer les formes les plus élevées de la discipline de groupe. S'il accomplit cela avec succès l'élève, alors, peut devenir le disciple d'un Maître — et il lui est confié une œuvre individuelle.

« Tel était l'ancien ordre d'évolution dans le passé — un ordre strictement respecté. Mais les tentatives de certains pour dévier de cet ordre, en se précipitant dans le second éther avant d'avoir conquis une maîtrise de soi qui fasse véritablement partie d'eux-mêmes, peuvent conduire à la formation d'un terrible élémental de groupe [1], susceptible d'empoisonner chacun des membres d'une association et qui ne saurait être détruit que par la dissolution totale de ce groupe. »

« Ah ! je comprends maintenant pourquoi J. M. H. a dispersé *son* groupe... ne pus-je m'empêcher de dire. Excusez l'interruption ; continuez ! »

« Les qualités positives que l'on acquiert par la maîtrise du second éther peuvent amener à une coopération consciente — dans ce domaine éthérique spécial — avec un Maître ou des Maîtres, tandis qu'en travaillant dans le premier éther, on devient un occultiste pleinement mûri, agissant comme une force directe sur le plan physique. — Dans toutes les subdivisions de l'éther s'interpénètrent la matière astrale, la matière mentale inférieure, la matière mentale supérieure — et ainsi

---

[1] On nomme *élémentals* les êtres invisibles qui président au jeu des forces de la nature. L'« élémental » peut, selon l'occultiste anglais Leadbeater, désigner un *être temporaire* formé et vitalisé par la pensée et la volonté d'un incarné : plusieurs volontés se concentrant sur le même but pourraient ainsi former un *élémental de groupe*. (*Note de la traductrice.*)

de suite, selon le processus de la quatrième dimension. En ce qui concerne le taux de vibration des différentes subdivisions... Oh ! — s'interrompit Anrias avec une surprenante brusquerie — il me faut absolument coordonner tout cela plus convenablement, avant que de songer à le publier ! »

« Mais vous nous soumettez à un vrai supplice de Tantale ! s'écria Viola. Ça me rappelle ces fragments du film de la semaine suivante, qu'on fait passer en réclame au cinéma : *La suite à vendredi prochain* !... »

* * *

Par un merveilleux dimanche matin, nous grimpâmes tous les trois sur la colline et nous assîmes auprès du petit lac. De la plaine tout en bas montait le carillon distant des cloches d'église, porté vers nous par la brise. Au-dessus de nos têtes une alouette lançait des trilles joyeux, en dépit de leur monotonie.

« Notre ami, le Déva, plane au-dessus de cette colline, » observa David, après un long silence.

« Je le pensais, dit Viola, j'ai rarement senti une aussi merveilleuse atmosphère... »

« Ces Dévas nationaux, on les trouve fréquemment dans les lieux dominant une vaste plaine du genre de celle-ci, poursuivit David. Je les ai *vus* et je les ai *entendus* communiquer entre eux par de ravissants éclairs de couleur et de son... Mais c'est impossible à décrire en *paroles*... Que c'est contrariant — s'écria-t-il — voici d'autres Egos qui nous tombent dessus et qui vont tout gâter ! »

Un groupe de touristes venait d'apparaître sur la crête de la colline, parlant et riant avec une parfaite vulgarité.

« Croyez-vous que le Déva les a remarqués ? » dit ma femme, comme ils se rapprochaient.

« Ce menu fretin, je ne le crois pas ; leur développement psychique est bien trop rudimentaire ! »

« Alors, que dire de *nous* ? » plaisantai-je.

« Il a sûrement pris garde à des gens comme vous, parce qu'il voit que vous aimez la Beauté. J'ai souvent noté que les Dévas sont attirés par les Egos qui ont un réel sentiment artistique. Leur aura semble alors s'agrandir et briller, comme s'ils étaient heureux de l'appréciation prodiguée au paysage qui les environne. »

« A propos, demandai-je, comme les voix de nos bruyants pique-niqueurs se faisaient, à notre vaste soulagement, de plus en plus distantes... les Dévas ont-ils, comme les Maîtres, des élèves ? »

« Pas les Dévas de cette espèce : ils se bornent à la garde de leurs « centres ». David nous apprend alors que certains types avancés de Dévas de l'Air inspirent parfois, en les *adombrant*, des musiciens et des poètes ; ils nouent même avec eux des liens personnels et les préparent à prendre certaines initiations propres aux Dévas. Ces dernières sont cependant entièrement différentes des initiations humaines : ce sont des rites initiatoires très spéciaux, que doivent accomplir les candidats aspirant à changer de ligne d'évolution pour prendre celle des Dévas. « Par exemple, nous informa-t-il, Wagner et Swinburne ont, tous les deux, été adombrés par les Dévas. Le Déva de Wagner aide encore aujourd'hui à maintenir la tradition wagnérienne, en déléguant ses subordonnés partout où se jouent les œuvres du grand compositeur, avec la mission d'inspirer ceux qui exécutent cette musique. Inutile de dire que l'influence de Dévas de cette grandeur ne se limite pas à un seul pays... »

David alluma une cigarette et tira des bouffées en silence, regardant songeusement la fumée s'évanouir dans l'air.

« Je suppose que vous les nommez des Dévas *internationaux*, par opposition aux Dévas nationaux, » observai-je.

« Certainement. Leur tâche est de relier entre eux les divers pays, non seulement par la musique, l'art et la littérature, mais autant que possible par la politique. Ce sont ces grands Dévas internationaux qui s'efforcent, en conjonction avec les Maîtres, d'instaurer dans le monde la Coopération. Certains *clairvoyants* peuvent distinguer non seulement les Dévas du Son « présidant » en quelque sorte à d'importants concerts terrestres, mais encore les Dévas internationaux dirigeant d'importantes conférences politiques. Tout d'abord, ils travaillent à en inspirer l'idée et l'organisation ; puis ils étendent sur elles leur protection, cherchent à en préserver l'harmonie et à faire en sorte qu'elles aboutissent au but désiré. Peut-être cela vous intéressera-t-il aussi, chers Egos, de savoir que Dévas et Maîtres travaillent ensemble à combiner toutes les meilleures caractéristiques des Américains et des Anglais, en vue de former le noyau de la race future. Les Américains sont plus intuitifs et plus ouverts que d'autres races aux influences des Plans supérieurs, mais ils n'ont pas la stabilité des Anglais. Mélangez ces deux races — et il en sortira un type d'homme plus noble et plus accompli, lequel deviendra peu à peu capable de conquérir les différentes subdivisions de l'éther physique et d'apprendre à travailler consciemment avec les Maîtres et les Dévas, dans les siècles à venir. »

« En résumé, conclus-je, les Dévas sont des entités d'une haute importance, et plus tôt l'humanité en général apprendra à les connaître, mieux cela sera, n'est-ce pas ? »

Il fit un signe affirmatif. « Il y aura, dans mon bouquin, pas mal de choses à ce sujet. »

D'autres promeneurs firent leur apparition sur la colline. « *Oh ! regarde c'te vue, Mar — qu'est c'est ce patelin ?* » s'exclama une grosse femme poussive, grimpant péniblement le sentier derrière son rejeton.

C'en était un peu trop pour notre sensibilité.

« Nous allons faire une promenade, dit Viola à David ; nous voulons voir ce qu'il y aurait comme villas à louer pour l'été. »

« Allons-y, dit-il, en sautant sur ses pieds. Il y a un charmant cottage portant l'écriteau *A louer*, à une demi-lieue du village. »

* * *

Dimanche soir...

Les promeneurs dominicaux étaient repartis vers la ville. Un soleil couchant aux tons rosés descendait derrière les dunes. Tout était paisible. Nous avions pris place à la lisière du bois, d'où l'on embrassait des yeux la vaste plaine, que les brumes vespérales coloraient de violet. La verdure neuve exhalait de douces senteurs et la fumée d'un feu de bois récemment allumé, qui montait d'un cottage, rappelait l'odeur de l'encens.

David était d'humeur silencieuse et comme perdu en méditations... Il dit enfin : « L'un des Dévas musiciens du Maître Kout Houmi est ici... Je pense que c'est celui qui adombrait votre amie Chris, durant sa vie... »

Un autre silence : David écoutait intensément. Puis il reprit : « Pour la couleur, comme pour le son, c'est une impression... que je ne puis vous décrire... »

« Oh ! tâchez de le faire ! » implora Viola.

Il ne répondit pas immédiatement — et quand enfin il le fit, on eût dit, à sa voix, qu'il écoutait quelque chose d'extrêmement lointain :

« Le Maître Kout Houmi entend nuit et jour le cri d'angoisse s'élevant de l'Humanité souffrante... Comme un grand crescendo, elle s'enfle et s'enfle encore... Comment lui répondrat-il ?... Il enverra un Messager de bonne volonté, un envoyé dont l'œuvre ne s'accomplira pas en paroles, mais par l'intermédiaire du Son... Le Son pour guérir les blessures que font les conflits et les chocs de paroles... le Son pour ramener l'Amour, la Joie et la Tranquillité dans un monde obscurci... Le Son, qui, subtilement, secrètement, se mêlera aux forces dévaniques luttant pour instaurer la Paix entre chaque Nation et toutes les autres... Et c'est à la grandeur des besoins du Monde que se mesurera la grandeur du poùvoir de ce Messager... »

« Chris !... » criâmes-nous tous les deux à la fois, et presque en dépit de nous-mêmes.

Mais David Anrias ne voulut rien dire de plus : il continuait à sourire, en contemplant l'espace.

CHAPITRE XVI

DEUX MAITRES DE L'HIMALAYA

Une longue et pluvieuse saison d'été, qui n'en était pas une, s'était écoulée. Pas tout à fait vide d'événements, néanmoins, car ayant loué le cottage découvert par David, nous avions, entre ses paisibles murs, appris plus d'une chose étrange et intéressante parmi les nombreux faits que notre ami était en train de collectionner, en vue de leur donner une place dans son livre.

Septembre ramena les jours chauds et ensoleillés ; mais, à notre grand regret, nous dûmes retourner à Londres, emmenant David avec nous.

Aucune nouvelle de Moreward Haig... Je commençais à me demander si le « temps non-spécifié » se prolongerait en années, lorsqu'arriva une lettre contenant des directions pour Herbert et moi-même : nous devions rejoindre notre Maître la semaine suivante.

Le *car* bleu nous attendait à la station et, tandis que nous filions à travers la campagne, nous ne pouvions nous empêcher de faire mille suppositions sur ce que ce séjour nous réservait.

Nous venions de passer le portail de la Loge, lorsqu'à notre vif étonnement, nous aperçûmes Toni Bland. L'auto fit halte et il y monta.

« Au nom du Ciel ! criâmes-nous tous deux, qu'est-ce que *vous...* »

Il sourit. « Je suppose que vous m'avez cru évaporé pour toujours. »

« C'est que... j'ai cherché à vous atteindre par téléphone et qu'on m'a dit que personne ne savait où vous étiez... »

« Vous avez extrêmement bonne mine... pleine d'entrain ! observa Herbert. Très différente de la dernière fois que nous nous sommes vus. »

« Ah ! c'est que bien des choses se sont passées, depuis lors... » repartit Toni. L'auto stoppa devant l'entrée de la maison.

« Mr. Haig est à l'Etang-des-Nénuphars, nous informa un respectable *butler* du genre vieille-école, en nous débarrassant de nos valises. Il a demandé que vous vouliez bien le rejoindre dès votre arrivée. Si vous ne connaissez pas le chemin, Mr. Bland saura sûrement... »

« Venez par ici », dit Toni avec un clignement d'œil.

Le visage de Moreward Haig n'offrait plus trace de la légère fatigue que j'y avais observée à ma dernière visite.

« Bonjours mes amis, fit-il en s'avançant et tendant une main à chacun de nous. Vous êtes surpris de voir Toni, eh ? » — Il posa la main sur l'épaule de ce dernier, en le regardant avec douceur. « D'autres surprises encore vous attendent... »

Toni s'étant retiré, nous nous assîmes à côté de notre Maître, sur le banc de pierre en demi-lune qui fait face à l'Etang.

« Quelles nouvelles m'apportez-vous, demanda-t-il, » et immédiatement le souvenir de Mrs. Saxton me revint à l'esprit. Je lui dis qu'elle était décédée — mais je sentais que je lui annonçais quelque chose qu'il savait déjà.

« Je vous ai adressé, mentalement, un S.O.S. juste à l'instant de sa mort... L'avez-vous reçu ? »

Il secoua négativement la tête. « J'étais plongé dans une profonde méditation, à l'heure indiquée. »

« Cependant, je suis certain qu'un Maître lui *est apparu* ! »

« Tous les Maîtres sont *un* en esprit — et une pensée désintéressée dirigée vers la Loge Blanche ne restera jamais sans réponse. C'est le Maître Kout-Houmi, qui a répondu à votre appel. Il me l'a dit depuis. »

Je réalisai alors, plein de gratitude, que ma supposition avait été exacte. Mais je repris : « Est-elle heureuse, à l'heure présente ? »

« Aussi heureuse que peut l'être une créature qui n'a que peu d'amour dans le cœur, mais bien plus heureuse, cependant, que si elle avait passé sur l'autre bord sans guide ni réconfort, et dans l'état de doute où elle vivait depuis si longtemps. »

Il se tourna vers Herbert. « Vous avez écrit les articles dont je vous avait parlé ? »

« Oui, ils sont faits. »

« Nous avons décidé qu'après tout un livre serait plus utile, et j'ai l'intention de vous donner quelques indications à ce sujet pendant que vous êtes ici. »

L'expression de Lyall trahit la joie qu'il ressentait. Soudain, je me rappelai une lettre, que j'avais en poche.

« Puisque vous parlez de « livre », dis-je à Moreward, voici quelque chose qui vous concerne ! L'auteur de cette lettre n'est certainement pas un être gonflé de son importance... Elle est arrivée ce matin ; puis-je vous la montrer ou non ? »

Il sourit et tendit la main pour la recevoir :

« Ayant étudié attentivement les livres dus à votre volubile *re*-Initié — lut à haute voix Moreward Haig — je suis stupéfait, heureux, réconforté, d'apprendre que ce n'est pas uniquement dans le pays de mes pères qu'existent d'inestimables

Yogis, mais que ces perles de notre Sagesse surgissent également en Europe et aux Etats-Unis. Personnellement, j'ai aspiré au bonheur de m'asseoir aux pieds de l'incomparable Yogi de M... mais je me suis trouvé déplorablement dépourvu de toutes les saintes qualifications exigibles ; aussi ai-je craint, si je me présentais moi-même comme chéla, de m'exposer à de métaphysiques rebuffades de la part du dit Yogi ! — Quant à vos livres, que j'ai payés quatre roupies, ils ont apporté pour plusieurs lakhs [1] de consolation à une âme plongée dans le plus profond accablement. Je dois au Mahatma un océan de gratitude, pour l'assurance donnée — à travers votre modeste et bienveillante personnalité — que le renoncement aux liaisons maritales intermittentes n'est pas une absolue condition du développement de la vie spirituelle [2]. Le contraire est solennellement affirmé par les ascètes de chez nous.

Je suis le très passionné, mais laborieux

Babu.

P. S. — J'aspire à devenir, dans une incarnation subséquente, un chéla de votre Mahatma susnommé... »

Avec un sourire amusé Moreward me rendit la lettre, observant en même temps : « Vous ne serez pas en mesure de répondre à celle-ci ! »

« Ah !... Pourquoi ? »

« N'avez-vous donc pas remarqué qu'il ne donne pas son adresse ? »

Chose singulière, je n'y avais pas pris garde. « Il a sûrement oublié », dis-je.

---

[1] Un *lakh* vaut cent mille roupies. *(Note de la traductrice.)*
[2] Voir Vol. II : *L'Initié dans le Nouveau-Monde*, Chapitre XII, sur le Mariage. *(Note de la traductrice.)*

« Vous vous trompez : il est si foncièrement modeste, qu'il ne songe même pas à recevoir une réponse. Vous vous rappelez la parabole du Publicain et du Pharisien ? »

« *O Dieu, sois apaisé envers moi qui suis un pécheur...* » citai-je.

« Cet homme est l'exemple vivant de la leçon qu'implique cette histoire... Maintenant, poursuivit-il, j'ai quelque chose d'important à vous communiquer à tous deux. Je dois me retirer dans la solitude pour un certain temps. Je vais sur le Continent, dans un petit endroit perché bien haut dans la montagne, où je passerai la plus grande partie de mon temps dans la méditation. J'aurai avec moi un chéla, qui doit garder mon corps pendant que je serai en transe — mais un unique chéla seulement, car mon travail parmi les groupes est achevé. Devrai-je le reprendre plus tard ? Cela dépend de bien des choses. Quoiqu'un Plan général ait été élaboré par les Grands Etres pour le développement de l'Humanité, rappelez-vous que nul homme n'est un automate, que les Maîtres et les Dévas eux-mêmes ne sauraient prédire comment les occupants de la Terre réagiront aux détails de ce Plan. Même lorsqu'une grande route permet de traverser aisément la montagne, il se peut que les voyageurs s'attardent sur cette route ou soient retardés dans leur avance par des incidents nombreux et imprévisibles à tous, sauf aux Seigneurs du Karma. Coopérer avec les Maîtres dans la solution des problèmes qui pèseront sur les dernières années de ce Cycle Obscur, c'est là mon *dharma* [1]. Il faut, pour cela, qu'un changement intervienne dans mon propre développement : je dois arriver, petit à petit, à prendre contact avec les éthers cosmiques supérieurs, à étudier leurs relations avec la Terre dans son état présent. Ceci ne peut

---

[1] Le Dharma est la combinaison d'un devoir et d'une mission. *(Note de l'auteur.)*

s'accomplir que dans une complète retraite — et dans un état de *Samadhi* extrêmement prolongé. »

Il y eut un silence. Je me sentais triste et je savais qu'il en était de même d'Herbert. « Alors, nous allons perdre notre Gourou... » articulai-je enfin.

Il sourit affectueusement. « Nullement le perdre, dit-il. Avez-vous oublié que le lien existant entre chéla et Gourou est le plus fort de tous les liens ? »

« Mais nos pensées mêmes ne sauraient vous atteindre, lorsque vous êtes abîmé dans de si profondes méditations... » — Je pensais à mon S.O.S. lors de la mort de Mrs. Saxton.

« Oui — et qu'en sera-t-il de tant de personnes qui ont appris à vous aimer à travers *son* livre ? » demanda Lyall, me désignant des yeux.

« N'ai-je pas dit que *toute* pensée dirigée vers les Frères de la Loge Blanche obtiennent nécessairement une réponse ? » Sa voix s'était faite très douce. « Laissez-moi vous dire une chose que, peut-être, aucun de vous deux ne sait. Il y a des êtres engagés sur le Sentier et qui se sont toujours imaginé être les élèves de tel ou tel Maître — alors qu'ils étaient depuis longtemps les élèves d'un autre... Ils ont été transférés d'un Maître à un autre sans le « réaliser » du moins à l'état conscient. Notre ami, ici présent, a été autorisé à écrire ses livres non pas pour me faire de la réclame *à moi* en particulier — bien que, je le crains, ce soit pourtant cela qui en est résulté — mais pour révéler au public *l'existence des Maîtres* en général : et ceci non pas pour le profit des Maîtres, mais pour celui de leurs élèves et de ceux qui sont susceptibles de le devenir un jour. N'oubliez jamais que les Maîtres sont Un... Qu'ils sont les grands Serviteurs de l'Humanité. Toutefois ce n'est pas à l'élève à choisir un Maître parce qu'il se sent particulièrement attiré vers lui — c'est au contraire le Maître qui choisit l'élève, en raison de certaines qualités que possède ce dernier, et qu'il sera loisible au Maître de développer dans sa direction particulière et de la façon qui s'avèrera le plus utile à l'Humanité. »

Il se fit un nouveau silence, pendant lequel nous mûrissions tous deux ce qui venait de nous être dit. Enfin Lyall déclara, avec tant d'ingénuité que Moreward Haig ne put s'empêcher de rire : « J'avoue que ça me paraît un peu étrange, de me figurer quelqu'un qui médite toute la sainte journée... »

« Vous ne vous rendez pas compte que ce genre-là de méditation est un bonheur immense — le bonheur du repos physique combiné avec une intense activité supraphysique. »

« Alors je suppose que nous devons nous déclarer contents...» murmura Lyall.

« Oui, fis-je écho, tâchons d'être contents. »

Il pressa nos deux mains, en manière de réponse. « Attendez encore, dit-il. Pensez-vous que je vous aie fait venir ici uniquement pour vous faire savourer la tristesse des adieux ?... »

* * *

Sir Thomas, Moreward Haig, Herbert et moi nous trouvions ensemble dans la bibliothèque, après dîner.

« Les Maîtres sont dans une impasse, dit le vieux gentleman, s'adressant à moi. A quoi bon l'existence des Initiés s'ils n'ont personne à enseigner ? A quoi bon les serviteurs s'il n'y a personne à servir ? *Vous* pourriez nous être, en ce cas, de grande assistance ! »

J'étais extrêmement étonné. « De quelle façon pourrais-je bien les aider ?... » questionnai-je.

« Par un troisième livre, fit-il de sa manière brève. Ne vous avons-nous pas fourni les documents ? N'avez-vous pas réuni beaucoup d'observations ? Ecrivez tout cela ! »

« Mais suis-je capable de le faire avec quelque chance de réussite ? »

« *Tut tut... nous* veillerons à cela... » Il se tourna vers Lyall. « Et vous, dit-il, vous allez écrire une musique d'un genre nouveau — et d'ailleurs aussi un ouvrage à ce sujet, ouvrage en vue duquel vous recevrez du Maître une préparation spéciale. La vision éthérique est nécessaire, pour composer cette musique nouvelle. Il est essentiel que les valeurs de certaines combinaisons de sons et l'effet qu'elles produisent sur les auditeurs soient parfaitement « réalisés » des compositeurs avant que cette musique soit publiée. »

Le visage de Lyall s'éclaira.

« La musique est très importante comme force d'évolution, continua Sir Thomas. Mauvaise musique, mauvaises mœurs. Vieille musique, vieilles idées — trop peu de progrès... La musique d'église qu'est-elle, par exemple, de nos jours ? Il hocha la tête : Des hymnes — pourtant censés réjouir la Divinité — qui sont une insulte à l'intelligence musicale ! — Le chant grégorien ? Bien, bien... plaisant, original — mais n'exerce nul effet sur les auras de la génération présente... n'a jamais été destiné au vingtième siècle : c'est quelque chose de bien différent qu'il nous faut ! » — Il sourit bienveillamment, et s'apprêta à nous quitter. « Venez demain matin à dix heures à la Chambre Bleue, » ajouta-t-il en sortant.

« Croyez-vous que Sir Thomas désire qu'à l'avenir je me spécialise dans la musique d'église ? » interrogea Lyall, d'un ton quelque peu inquiet.

Moreward Haig se mit à rire. « Non, non. Je pense que vous pourriez écrire un peu de musique religieuse à côté d'autres choses ; mais Sir Thomas n'y a fait allusion que parce que celle qui existe est particulièrement peu adaptée à notre temps. » — Il nous expliqua alors que, pour stimuler l'intérêt

porté au cérémonial occulte, les Maîtres avaient dernièrement
fait l'essai d'y introduire de la musique, qu'ils croyaient répondre
à ce but. Mais, parmi les personnes du monde d'aujourd'hui
demeurées en dehors de ce mouvement, l'homme moyen qui
réfléchit s'avéra trop peu simple et trop blasé pour en retirer
grand profit, tandis que les occultistes eux-mêmes étaient trop
préoccupés de problèmes personnels ou prisonniers de leurs
inhibitions. L'action magnétique qui devait s'exercer fut
entravée par le culte des personnalités et cette musique, qui
était censée enrichir le rituel, n'était pas assez nouvelle pour
produire l'effet désiré. — Ainsi, l'organisation dont les Maîtres
avaient espéré de grands résultats (parce qu'elle était exempte
d'intolérance, de sectarisme et de bigoterie) leur prépara, en
fin de compte, une déception. Les cercles intellectuels qui eussent
pu s'y rattacher s'en abstinrent, tandis que le grand public
trouvait ce qu'il désirait dans les communautés religieuses déjà
existantes.

« Cette organisation plus libérale, poursuivit-il, était origi-
nairement projetée pour combattre la vague de scepticisme
que les Maîtres s'attendaient à voir sévir dans les classes
cultivées. Les types humains portés vers la dévotion ont besoin
d'une religion : mais si à ce penchant ils joignent des tendances
intellectuelles, les formes ordinaires exotériques du christia-
nisme ne les satisferont pas. Il s'ensuit que des milliers de
gens qui n'ont ni le temps ni l'envie de se livrer à l'étude com-
parée des Religions, du Mysticisme et de l'Occultisme, demeurent dans un état de *doute* — doute sur l'existence de Puissances
supérieures, doute sur l'Après-vie, etc... Ceci ne doit nature-
lement pas être regardé comme un péché, mais tend néanmoins
à atrophier le corps mental supérieur et les facultés spirituelles,
ce qui, comme vous le savez, peut conduire à un état prolongé
d'inconscience sur les autres Plans, après la mort. En d'autres

termes, le doute élève un mur autour de nos corps subtils et entrave leur liberté, de même que si vous liez l'un des membres du corps physique et entravez par trop longtemps sa liberté, il s'atrophie. — Donc, l'église nouvelle n'ayant pas obtenu la réaction espérée, il nous faut appeler maintenant à notre aide l'art, et tout spécialement la musique. Ce que les rites religieux ne sauraient plus opérer, une nouvelle sorte de musique pourrait l'accomplir et *l'accomplira*, nous en avons le ferme espoir ! Or ce sera votre mission et celle des compositeurs à venir, que de faire apparaître cette musique sur le plan physique et terrestre. »

« Un nouveau genre de musique ! s'exclama joyeusement Lyall ; c'est là une bonne nouvelle, en vérité ! La peur de devenir vieux-jeu me poursuit... Quelle dose d'ennui n'ai-je pas déjà supportée, à être forcé d'entendre les œuvres de compositeurs surannés... »

Nous nous mîmes tous à rire.

* * *

Herbert et moi devions retourner à la ville le jour suivant et je redoutais particulièrement de dire adieu à Moreward Haig. Depuis ma petite enfance les adieux me sont une véritable souffrance — et les années n'ont nullement diminué, pour moi, la crainte des séparations.

Peut-être mon Maître le devina-t-il, car en me disant bonsoir, ce soir-là, il ajouta : « Ce n'est pas parce que demain est un jour de séparation que vous devez penser que vous ne me reverrez plus... » Il posa un instant la main sur mon bras, sourit — et disparut.

Il n'apparut pas à table le lendemain matin et je me demandai pourquoi. Toni Bland me dit plus tard qu'il avait déjeuné de fort bonne heure, dans sa chambre.

« Rentrez-vous par hasard avec nous à Londres ? » demandai-je à Toni.

« Non », répliqua-t-il.

« Heureux homme ! Mais nous nous reverrons bientôt, j'espère... »

Il secoua la tête. « Je m'en vais de nouveau à l'étranger... et je ne reviendrai pas d'un certain temps. Vous avez été un bon ami pour moi, dit-il, comme nous descendions l'un des sentiers du jardin, et j'ai du chagrin de vous quitter, mais... »

Il n'acheva jamais sa phrase, car juste à ce moment-là, Sir Thomas tourna le coin du sentier, avec son chien à ses côtés.

« Venez ! dit-il, s'adressant à moi tout en consultant sa montre, il est presque dix heures. »

Subitement Toni saisit ma main et la pressa très fort, mais sans rien dire. « Pourquoi ce geste ? » me demandais-je, en suivant hâtivement Sir Thomas. Cela signifiait-il que j'allais traverser quelque épreuve et qu'il faisait des vœux pour moi ? Ou quoi d'autre ? — Je n'avais pas oublié que Sir Thomas nous avait priés d'être à dix heures à la Chambre Bleue, mais ma montre retardait un peu.

Nous trouvâmes Moreward Haig et Lyall Herbert nous attendant dans la longue galerie. Sir Thomas leur adressa un signe de tête et, ayant mis la clef dans la serrure du mystérieux local, il nous pria d'entrer. Il y avait là quatre fauteuils rangés en demi-cercle et faisant face à l'admirable vitrail en couleurs, du haut duquel des rayons d'or et de pourpre tombaient sur nous, illuminant nos visages. Sir Thomas et Moreward Haig prirent les deux sièges du milieu et nous nous assîmes sur les deux autres.

Il y eut un long silence. Puis Sir Thomas toucha du bout des doigts, durant un instant, le centre de mon front... « Ecoutez... » me dit-il.

Et dans le lointain, j'entendis résonner des orgues, auxquelles se mêlait le chant de voix si pures et si éthérées, qu'on eût dit les accents de quelque céleste chœur portés vers nous par une douce brise du soir... Musique ne ressemblant à aucune autre de celles que j'avais jamais entendues — subtile et pourtant mélodieuse, suave sans nulle sentimentalité doucereuse, tantôt majestueuse et puissante, tantôt douce comme la caresse d'une aile d'ange.

« Mon frère Kout Houmi jouant de l'orgue... Et les voix que vous percevez sont celles des *Gandharvas* [1]. Ecoutez bien et souvenez-vous... car un jour, vous transmettrez une musique semblable au reste du monde... »

C'était Sir Thomas qui venait de parler, et ses paroles s'adressaient à Lyall Herbert.

La musique continua pendant un moment, puis décrut et s'évanouit... Il y eut un nouveau silence.

« Fermez les yeux, dit encore le vieux Maître, et faites appel à votre vision intérieure. »

Soudainement, je respirai une senteur embaumée, qui semblait s'exhaler de diverses fleurs... et quoique mes yeux fussent clos, les formes de deux Etres m'apparurent comme au travers d'un léger voile de brume, teinté des nuances les plus ravissantes et les plus pures que j'eusse jamais rêvées. A cet instant, je compris que je contemplais le Maître Kout-Houmi — celui qui m'avait parlé par l'intermédiaire de Chris — et avec lui se trouvait l'Adepte du Thibet, le Maître D. K.

« Je vous salue, mes Frères, dit tranquillement Sir Thomas ; et la face de Christ du Maître Kout-Houmi s'illumina d'un sourire si ineffablement tendre, qu'il semblait l'essence même

---

[1] Anges de la Musique.

des paroles dites jadis par lui à Chris : « *L'amour que je ressens pour chacun de vous, c'est CELA, Dieu...* »

Le Maître du Thibet souriait, lui aussi, et la paternelle bonté qui baignait ses traits mongoliens éveilla en moi un sentiment d'intense vénération.

La voix de Moreward Haig s'éleva, très douce, dans le silence : « Maîtres et Frères, je remets à votre sollicitude ces deux chélas amis, qui m'ont toujours bien servi. Puissent-ils se montrer dignes de votre protection, de votre direction et de votre amour ! »

Maître Kout Houmi tendit les bras dans notre direction, en signe d'affectueux accueil, et je pus lire dans son regard comme une ressouvenance : « Ne nous sommes-nous pas déjà entretenus ensemble ? » disaient ses yeux. Puis ses lèvres remuèrent et je crus l'entendre proférer ceci : « Il y a bien longtemps, en Grèce, alors que j'étais Pythagore, vous fûtes tous deux mes élèves — et maintenant je vous accueille à nouveau... A vous deux, qui désirez servir l'Humanité, il sera accordé de plus grands pouvoirs encore : à toi par l'intermédiaire de ta plume et (se tournant vers Lyall) à toi par le moyen de ta musique. Nous aimerions rapprendre, à un monde angoissé et souffrant, quelques-uns des anciens moyens de guérison des maladies : l'un de ces traitements fait appel au son musical. L'homme doit apprendre que celui qui veut guérir notre grossière enveloppe physique, la seule visible à ses yeux, doit *avant tout* guérir la *linga sharira* [1], qu'il n'est pas encore à même de voir. Nous avons besoin, dans ce but, d'hommes qui nous prêtent leurs dons divers et qui, en nous servant, serviront l'Humanité. Immenses sont les besoins, dans cet âge d'obscurité et de doute ! Car ceux qui aimaient à nous seconder ne nous

---

[1] Le double éthérique.

soutiennent plus et ceux qui eussent pu se montrer prêts à collaborer, expérimentant ainsi les joies du service volontaire, se sont détournés de nous pour se perdre dans les ténèbres... »

Cependant, l'apparition commençait à pâlir... Je sentais que les deux Maîtres étaient toujours présents, mais je perdais, moi, la faculté de les voir... D'un geste instinctif, je levai les yeux vers Sir Thomas pour qu'il touchât de nouveau mon front et me permît de voir encore — mais il me fit comprendre qu'il ne serait pas bien d'agir ainsi.

Alors J. M. H. nous parla, s'adressant d'abord à Lyall, puis à moi-même : « Maître Kout Houmi dit que son frère, le Maître D. K. préparera vos corps subtils à recevoir l'inspiration, qu'il vous donnera finalement lui-même. Il assure aussi que plusieurs Maîtres vous aideront à écrire le livre dont, à leur requête, Sir Thomas vous a parlé. »

Après une pause il reprit : « Bien que je doive me retirer dans la solitude, aucun de ceux qui m'ont honoré de leur attachement et demeurent liés à moi par la pensée ne seront laissés sans guide. Vous le voyez, Maître Kout Houmi tend les mains et dit : *Qu'ils viennent à nous ! Il leur sera aidé selon leurs besoins et leur aspiration à nous servir...* — A chacun de vous il adresse sa bénédiction. »

Nous demeurâmes assis quelques minutes en silence. Puis Sir Thomas et Moreward Haig quittèrent leurs sièges.

« Restez tranquillement ici un moment encore, dit Sir Thomas ; puis rendez-vous à l'Etang-des-Nénuphars. »

Et en vérité, nous étions heureux de cette injonction : car il régnait dans la pièce une telle atmosphère de paix et d'amour que j'eusse répugné à la quitter, même pour la sereine tranquillité du jardin de Sir Thomas. De plus, tout mon être conscient baignait dans une sorte d'exaltation spirituelle, si neuve et si merveilleuse, que je craignais qu'au plus léger mouvement que je ferais, elle ne me quittât pour ne plus revenir...

* * *

Depuis quelque temps, déjà, nous contemplions en silence le miroir de l'étang, lorsque nous fûmes surpris par l'approche de Sir Thomas, qui vint s'asseoir à côté de nous.

« Les adieux, remarqua-t-il, peu de gens les aiment... et la plupart d'entre nous pourraient fort bien s'en dispenser. Pourquoi donc ne pas les éviter ? — Toutefois, pour celui qui est *un* avec tous les êtres et qui a *réalisé* le Soi Unique, il n'existe plus de séparation. Ah ! hum !... cette *réalisation* sera *vôtre*, un jour... En attendant, *tut— tut*, c'est au vieux monsieur à faire toute la conversation et à vous apprendre les nouvelles...»

Moreward Haig nous avait épargné la torture des adieux — et il était parti, emmenant avec lui Toni Bland, comme seul chéla.

FIN

Imprimé en Suisse